ПОЛИНА ДАШКОВА

ДЕТЕКТИВ

ПОЛИНА ДАШКОВА

ХЕРУВИМ

РОМАН

КНИГА 2

МОСКВА

«ИЗДАТЕЛЬСТВО АСТРЕЛЬ»

АСТ

2001

УДК 821.161.1-312.4
ББК 84 (2Рос=Рус)6-44
Д21

Серийное оформление
Ирины Сальниковой

Дашкова П. В.

Д21   Херувим: Роман: В 2 т. Т. 2 / П.В. Дашкова. —
М.: ООО «Издательство Астрель»: ООО «Издательство АСТ», 2001. — 352 с.

ISBN 5-17-009300-4 (ООО «Издательство АСТ»)
ISBN 5-271-02275-7 (ООО «Издательство Астрель»)
ISBN 5-271-02279-X (Том 2)

«...Вика оглянулась и тихо ахнула. Главный врач сидел, подавшись вперед всем корпусом и вцепившись в подлокотники.
Очки его сползли на кончик носа, рот был приоткрыт. В дверном проеме застыла мощная фигура санитара. Откуда-то из
его шеи звучал глухой настырный голос:
— Пятый, пятый, как слышите? Прием!
Юлия Николаевна Тихорецкая и пациент по фамилии Найденов стояли у окна и целовались так самозабвенно, словно
были здесь одни...»

УДК 821.161.1-312.4
ББК 84 (2Рос=Рус)6-44

ISBN 5-17-009300-4 (ООО «Издательство АСТ»)
ISBN 5-271-02275-7 (ООО «Издательство Астрель»)
ISBN 5-271-02279-X (Том 2)

ГЛАВА ДВАДЦАТЬ ПЕРВАЯ

Ровно в полдень тишину горной деревни на греческом острове Корфу разорвал рев мотора. Мотоцикл остановился на крошечной площадке под старой высохшей оливой. Мужчина лет тридцати, невысокий, крепкий, совершенно голый, если не считать грязных белых шорт, снял шлем, зашел в кафе, уселся за столик на узкой веранде и закурил.

Хозяин кафе старый Спирос поздоровался по-английски, положил перед гостем книжку меню, заранее зная, что тот не раскроет, небрежно отодвинет локтем, потом страшно медленно, как чудовище из детского кошмара, поднимет глаза, светло-серые, мутные, и произнесет с жестким неприятным акцентом:

— Пятьдесят грамм метаксы и стакан минеральной воды без газа.

Спирос, приняв этот скудный заказ, удалился в кухню и трижды осенил себя крестным знамением перед ликом своего покровителя, святого Спиридона, обещая себе и святому, что если завтра в полдень голый человек с мертвыми глазами ступит на порог его маленького тихого заведения, он, Спирос, захлопнет дверь и перевернет табличку «закрыто» прямо перед облупленным носом проходимца. Пусть старуха Ефимия ворчит, сколько душе угодно. Не велика беда — лишиться такого посетителя. Он появляется здесь уже в третий раз, заказывает на грош, а хамит на десять тысяч драхм. Он опять не потрудился добавить простое «плиз» к своему скудному заказу и опять наверняка не оставит чаевых. Аккуратно пересчитает сдачу, сгребет в кулак и спрячет в карман грязных коротких штанов. Дело не в копейках. Не нужны Спиросу его паршивые чаевые. Важно отношение, простая человеческая вежливость, вот что.

Однако сегодня, сделав обычный заказ, посетитель вдруг произнес, глядя на Спироса в упор своими нехорошими глазами:

— Кто-нибудь в вашей деревне сдает комнату?

Вопрос прозвучал настолько странно, что Спирос растерялся. Деревня была совершенно не курортным местом. Дюжина белых каменных домиков, прижавшихся к отвесному склону, как ласточкины гнезда, в шестистах метрах над уровнем моря, церковь, супермаркет, бензоколонка, кафе старого Спироса и больше ничего интересного. До ближайшего пляжа приходилось добираться на машине по узкому серпантину. Туристы попадали сюда только проездом, если направлялись к знаменитому высокогорному монастырю святого Пантелеймона или просто путешествовали по острову. Никто никогда не сдавал здесь комнат. Именно эту последнюю фразу и произнес старый Спирос, медленно, тщательно, как школьник, выговаривая английские слова.

— Почему? — спросил посетитель. Короткое «уай?» прозвучало как угроза. Спирос рефлекторно отшатнулся.

— Если вы спуститесь на пару сотен метров, сможете найти отличные апартаменты и виллы. До пляжа рукой подать, и чудесный сервис, сэр!

— Но я хочу поселиться именно здесь, всего на три дня, — голос его стал мягче, он уже не хамил, а просил, как будто даже умолял, — я устал от моря, мне нравится горный пейзаж.

— Нет, — Спирос растянул тонкие губы в любезной улыбке, — очень сожалею. Простите, из какой вы страны?

Посетитель ничего не ответил, отвернулся, упер свой немигающий мертвый взгляд вдаль, в горизонт. Ровная линия моря справа обрывалась сизыми пустынными скалами албанского берега.

Спирос отправился за минеральной водой и

метаксой. Через пять минут посетитель осушил стаканы, как всегда, не оставил ни гроша чаевых, напялил свой сверкающий красный шлем, вышел из кафе, опрокинув по дороге стул и не потрудившись его поднять. Мотоцикл взревел и не поехал, а почти взлетел над узкой горной дорогой.

— Этот немец совершенно сумасшедший! — прокричала прямо в ухо Спиросу старуха Ефимия. — Надо записать номер и позвонить в полицию!

Спирос пошевелил пышными усами и неопределенно хмыкнул в ответ. Из-за рева мотоцикла он не расслышал ни слова.

— Хорошо, если пострадает он один! — Ефимия проводила взглядом голую спину мотоциклиста. Обожженная кожа, обильно смазанная маслом от загара, была такой же красной и блестящей, как шлем на голове. — Эй, Спирос, ты слышал, что я сказала? Надо позвонить в полицию и сообщить об этом сумасшедшем немце. — Старуха расколола два яйца, вылила в миску, плеснула молока из пакета и принялась ожесточенно взбивать.

Спирос медленно развернулся, заглянул за прилавок и поднял лохматые седые брови так высоко, что они скрылись под козырьком джинсовой кепки.

— Что ты делаешь, Ефимия? Разве кто-нибудь заказывал омлет?

8

— Я хочу омлет! Я не завтракала сегодня. — Ефимия выплеснула содержимое миски на сковородку, охнула и отпрыгнула от брызг раскаленного оливкового масла. — Может, этот тип вообще американец. Европейцы ведут себя приличней. Даже немцы и русские.

— Для американца у него слишком европейский английский, — отозвался Спирос и с громким шорохом развернул вчерашнюю газету.

— Можно подумать, ты что-то понимаешь в этом, — проворчала Ефимия, — а в полицию все-таки надо позвонить. Могу поспорить, если не сегодня, то завтра обязательно случится катастрофа на дороге.

— Перестань, Ефимия, не каркай, — поморщился Спирос. Ему вдруг непонятно почему стало жаль человека с обгоревшей воспаленной кожей и мертвыми глазами.

Мотоциклист между тем лихо вписался в опасный поворот. Ветер приятно обдувал его. С каждым десятком метров дорога становилась круче, уже. Справа наползали отвесные скалы. Полуденный солнечный свет вылизывал каждую деталь ландшафта до невозможного блеска, превращал в жемчуг тусклый булыжник. Слева был отвесный обрыв. Внутри, на дне пропасти, лежала ясная неподвижная морская гладь, гигантское зеркало, в которое гляделось густо-голубое безоблачное небо. Мотоциклист притормозил, навстречу медленно двигался открытый джип, из салона торчало человек десять молодых туристов, загорелых до черноты, в темных очках и цветных платках-«банданках». Они беззвучно открывали рты, смеялись, скаля ослепительные зубы. Грохот тяжелого рока и рев мотора заглушали все прочие звуки. Мотоциклист вильнул влево и упер ногу в землю в нескольких сантиметрах от края обрыва. Порванный кроссовок неприятно шваркнул по мелкой острой гальке, несколько камушков попало в дыру у большого пальца. Джип аккуратно проплыл мимо, унося с собой оглушительную музыку, беззвучный гогот. Среди его пассажиров мотоциклист машинально отметил девушку не старше восемнадцати, блондинку, остриженную под мальчика. Кожа ее была значительно темнее волос, условный лифчик почти не скрывал тяжелую смуглую грудь, шею рассекала надвое тонкая ярко-красная полоска модной татуировки, похожая на странгуляционную полосу. Она оглянулась и помахала ему рукой.

Он заглушил мотор, вручную откатил мотоцикл к скале, прыгая на одной ноге, снял кроссовок, вытряхнул камушки. Тишина длилась меньше минуты. Едва он успел надеть кроссовок и оседлать мотоцикл, дорога загудела, задрожала, из-за поворота показалась огромная морда трейлера-водовоза.

Серебристая громадина, украшенная сине-красной рекламой пепси, занимала всю ширину дороги, одним боком терлась о скалу, вторым нависала над пропастью. Водитель не собирался сбавлять скорость, хотя отлично видел мотоциклиста. Деться было некуда. Единственный вариант — опираясь ногой о землю, медленно скакать назад вместе с мотоциклом, до тех пор, пока дорога не станет шире, а там, прижавшись к скале, пропустить этого урода.

С высоты, из кабины, темнело лицо водителя. Рядом маячил смутный женский силуэт. Молодой бородатый грек как будто дразнил, издевался, пер вперед, не давая опомниться.

— Придурок, мать твою! — выкрикнул мотоциклист по-русски, сплюнул и стал пятиться быстро, как мог. Глаза заливал горячий едкий пот, зеркало заднего вида было повернуто неправильно. Он знал, что где-то совсем близко надо свернуть. Трейлер негромко, насмешливо просигналил. Мотоциклист сильно вздрогнул и рефлекторно отшатнулся назад, подпрыгнув вместе с мотоциклом, чувствуя позади пустоту.

Вокруг все светилось, трепетало. Каждый оливковый лист, каждый кузнечик радовался жизни так, словно жить ему суждено вечно. Водитель грузовика вроде бы пытался тормозить, но неповоротливая махина стремительно двигалась вперед по инерции, слишком крут был склон.

«А вот это действительно все. Я сейчас сорвусь», — успел подумать мотоциклист.

Нога его описала высокую дугу, он отскочил от края, через долю секунды пустой мотоцикл скользнул в пропасть, и далеко внизу тяжело и страшно взорвалась морская гладь.

* * *

— Сегодня у нас последняя процедура, — сказала Юлия Николаевна, — на вас действительно все заживает как на собаке.

Сергей прикрыл глаза и подставил лицо под тонкий лазерный луч.

— Вы больше сюда не приедете? — спросил он.

— Нет. Через месяц я уберу оставшиеся рубцы.

— Мы опять встретимся здесь? — он кашлянул, чувствуя, что задает глупый вопрос.

— Сюда я больше не вернусь. Вероятно, вы тоже. Мы встретимся в клинике, в моем кабинете.

— А где ваша клиника?

— В центре Москвы, неподалеку от метро «Проспект Мира». Старайтесь беречься прямых солнечных лучей. На улице носите темные очки и кепку с большим козырьком. Брейтесь как можно аккуратнее. Я тут оставила вам специальные гели, жидкое мыло, крем. Пользуйтесь только ими. Там на коробочках все написано.

— Спасибо. Я понял.

— На здоровье, — она улыбнулась одними губами. Глаза оставались серьезными.

— И все? — спросил, глядя в пол.

— Да. А что?

— Ничего.

Пока она складывала лазерный аппарат в чемоданчик, они оба напряженно молчали.

— Всего доброго, — сухо попрощалась она, подошла к двери и, кашлянув, добавила: — Пожалуйста, будьте осторожны.

Сергей резко поднялся, никак не мог попасть ногой в кроссовок. Юлия Николаевна уже открыла дверь.

— Подождите! — крикнул он так громко, что она вздрогнула. — Подождите, я провожу вас.

Он наконец обулся и так поспешно бросился к ней, что они столкнулись в дверном проеме.

— Простите, — он взял ее за плечи, совершенно машинально, как будто она сейчас упадет и надо удержать. Несколько секунд они стояли, не дыша и стараясь не смотреть друг другу в глаза.

— У вас шнурки развязаны, — сказала она.

— Да, спасибо, — он отступил на шаг, присел на корточки, завязал шнурки кроссовок, — я провожу вас до машины, если не возражаете, — голос у него стал совершенно деревянным.

— Конечно.

Она ходила страшно быстро, и он решил, что она спешит поскорее отделаться от него. Они молча шли по главной аллее к воротам. Он лихорадочно пытался придумать, что бы такое сейчас сказать, но в голове гудел безнадежный идиотский монолог, ни слова из которого нельзя было произнести вслух.

«Я больше никогда ее не увижу. Через месяц все будет по-другому, и неизвестно, удастся ли мне прийти к ней в клинику, потому что вообще ничего не известно. Одиночка, который выходит охотиться на Исмаилова, должен оставить завещание и заказать место на кладбище. Завещать мне нечего и некому. Меня вообще нет, я призрак, безымянная тень какого-то хлипкого мерзавца».

— Райский наконец объяснил вам что-нибудь? — спросила она чуть слышно, когда они подошли к ее вишневой «Шкоде».

— Да, у нас состоялась глобальная беседа.

— Ну и зачем понадобился весь этот жестокий спектакль и почему нельзя было заранее сообщить вам о пластической операции? Впрочем, можете не рассказывать, это, вероятно, тоже государственная тайна.

— Никакой тайны. Просто полковник очень занятой человек. У него не было времени, чтобы поговорить со мной до операции. А поручить такой важный разговор кому-то другому он не счел возможным. Да Бог с ним, с полковником. Давайте лучше...

— Что? — она смотрела на него блестящими странными глазами. Она была почти одного с ним роста, впрочем, если бы не каблуки, то все-таки ниже на полголовы. Она смотрела и ждала, что еще он скажет на прощание, а он понятия не имел, как задержать ее хотя бы на несколько минут.

— Нет. Ничего, — пробормотал он сердито, — до свидания.

Она молча кивнула, отступила на шаг, открыла машину, села за руль. Он развернулся и, не оборачиваясь, зашагал по аллее. Мотор взревел, потом затих, и машина коротко, звонко просигналила. Он на секунду замедлил шаг и готов был бежать назад, но тут же понял, что Юлия Николаевна просто погудела охране, чтобы открыли ворота.

———————

ГЛАВА ДВАДЦАТЬ ВТОРАЯ

Владимир Марленович Герасимов долго и необычайно внимательно наблюдал, как колышутся занавески. Каждое движение белого кружевного полотна повторяла сиреневая четкая тень. Полукруглое окно было наполнено идеальной голубизной июльского греческого неба. Трехэтажная вилла Владимира Марленовича венчала невысокую отвесную скалу, округлым фасадом выходила в открытое море. Спальня была на третьем этаже. Из окна открывался строгий и прекрасный вид, море и небо, разделенные линией горизонта. Когда этот единственный пространственный ориентир таял в ночной темноте или в тумане, можно было на несколько секунд почувствовать себя парящим в невесомости.

Занавески бились и трепетали в определенном музыкальном ритме, и Владимиру Марленовичу стало казаться, что это пустые кружевные рукава призрачного дирижера. Таким образом, окно превращалось в живот гигантского маэстро, и если продолжить игру, то головой мог послужить плавно искривленный фарфоровый овал настенных часов.

Часы эти Владимир Марленович купил пару лет назад в маленьком городке Фигерасе на границе Испании и Франции в театре-музее Дали. Знаменитыми мягкими часами были заполнены все сувенирные лавки городка. Расплавленное время в виде ювелирных украшений, кофейных чашек, статуэток из дерева, серебра, хрусталя, фарфора, вазочек, пепельниц, зажигалок и собственно часов, от огромных напольных и настенных до маленьких наручных, смотрело на толпы оголенных туристов и усмехалось кривым шутовским циферблатом. Владимир Марленович купил на память один из самых дорогих образцов и повесил над окном спальни своей греческой виллы. Как и все часы в доме, эти показывали не местное время, а московское. Сейчас обе стрелки сомкнулись на двенадцати и получился тонкий правильный нос. За рот вполне могло сойти треугольное фирменное клеймо внизу.

Маэстро покачивал своей кривой овальной головой в такт неслышной, но безусловно патетической музыке, размахивал пустыми рукавами и был настолько отчетлив, что Владимир Марленович не сумел избавиться от него, даже зажмурившись.

Следовало встать и начать день. Дверь бесшумно открылась, вошла горничная Оксана, беловолосая, маленькая, с тонкой талией и полными тупыми щиколотками. Ее каждый раз привозили с собой из Москвы. За первые два дня она обгорала до красноты, но все равно все свое свободное время проводила на пляже.

Владимир Марленович требовал, чтобы прислуга в доме ходила в мягких тапочках на плоской резиновой подошве. Оксана стеснялась своего маленького роста и постоянно приподнималась на цыпочки. Несколько секунд Владимир Марленович слушал ее тихое, тактичное сопение. Она стояла у двери и не знала, что делать.

— Я не сплю, детка, — произнес он, — заходи, не стесняйся.

— Доброе утро, Владимир Марленович, — голос ее прозвучал как далекий сухой шелест. Он заметил, что она избегает смотреть ему в глаза, и быстро, равнодушно спросил:

— Стас не появлялся?

Она вздохнула и отрицательно помотала головой.

— Ну что ж, пора вставать, — Владимир Марленович спустил на пол худые безволосые ноги. Оксана поспешно подала ему халат и отвернулась.

Пронзительно, неприятно крикнула чайка у самого окна. За стеной послышался легкий резиновый скрип. Замерев на миг, Владимир Марленович увидел совершенно отчетливо, словно стена была прозрачной, как охранник Николай подкатил кресло ближе к телевизору, бережно погрузил в бархатную мякоть свой железный зад, не глядя, нащупал пульт на журнальном столе. Огромный плоский экран несколько секунд мерцал и переливался, как ртуть, потом наполнился яркими рекламными красками, визгом и грохотом молодежной музыки. Николай переключил на другой канал. Там звучал знакомый голос русского комментатора.

— Что должно было произойти, чтобы наш Коля опоздал к двенадцатичасовым новостям на целых пять минут? — громко спросил Владимир Марленович и подмигнул Оксане. Она улыбнулась не разжимая губ и стала похожа на ярко-розового игрушечного лягушонка. — Ну да, конечно, вчера вечером он слишком увлекся омарами и, вероятно, провел бессонную ночь. Надеюсь, ты дала ему активированный уголь?

На отдыхе за границей отношения между хозяевами и прислугой становились теплее и проще, чем в Москве.

За стеной гудели голоса. Ведущий переключался на корреспондентов. Слов невозможно было разобрать. Владимир Марленович отправился в ванную и, уже закрывая дверь, услышал тренканье телефона. Оксана взяла трубку, и по ее спокойному тону он понял, что это был вовсе не тот звонок, которого он ждал уже вторые сутки.

Стас уехал на мотоцикле, сказав, что вернется к вечеру, и исчез. Здесь, на маленьком Корфу, Владимир Марленович не волновался за жизнь сына. О том, что Стас отправился в Грецию вместе с родителями, никто посторонний не знал. Однако генерала раздражало хамство, наплевательство. После всего пережитого, после долгих серьезных разговоров, после всех этих смиренных «я понял... больше не буду...», Стас опять выключил телефон и с тупым упорством не давал знать о себе.

Генерал скинул халат перед зеркальной стеной. В ярком свете кожа его казалась страшно бледной, даже чуть зеленоватой. Врачи запретили ему загорать, в этом году солнце было слишком активным. Впервые он ни разу не вышел на свой уютный пляж, не окунулся в море.

Он оглядел себя с ног до головы, внимательно и равнодушно, как будто это было чье-то чужое, безобразное тело. Правда, безобразное, с тонкими руками и ногами, узкими покатыми плечами, но массивным туловищем, дряблым брюхом, складчатым обвислым валиком вокруг талии.

Владимир Марленович встал на весы. Стрелка затрепетала и остановилась на восьмидесяти. За последние две недели он сбросил десять килограммов. Ничего удивительного. Он пережил сильнейший стресс. Но сейчас можно было немного успокоиться. Перед отъездом он заплатил полковнику Райскому пятьдесят тысяч долларов наличными. Теперь полковник действовал не как его приятель и бывший подчиненный, а как нанятый и оплаченный сотрудник. Так оно всегда верней. Райский доложил генералу, что для Стаса создан двойник. Некий военный, майор, профессионал, должен принять огонь на себя. На время он займет место Стаса, поселится в его квартире и сделает все возможное, чтобы приблизить развязку.

Это было даже больше, чем генерал ожидал от своего бывшего подчиненного. Райский организовал охрану на самом высоком уровне. Впрочем, полковник не только отрабатывал полученные деньги, но и решал свои собственные проблемы. Он мечтал о генеральских погонах и знал, что за живого Исмаилова получит их непременно.

За жизнь сына Владимир Марленович волновался теперь значительно меньше. Но стресс сменился тяжелой депрессией. Генерал целыми днями лежал на диване в гостиной, глядя в потолок, или сидел, задумчиво уставившись в окно. Он не мог читать, смотреть телевизор, гулять теплыми вечерами по чудесному побережью. Он почти ничего не ел. Не хотелось. Во рту постоянно был какой-то новый вкус, слабый, но стойкий и чрезвычайно неприятный. Горько-соленая резина или что-то в этом роде. И тот же вкус приобретала любая пища, от персиков до жареной баранины.

Слезая с весов, он поскользнулся. Пушистый коврик поехал под ногой. Он ухватился за борт ванной, неловко повернулся и чуть не закричал. Ему показалось, что внутри у него взорвалась осколочная граната. Обливаясь ледяным потом, он опустился на пол, скрючился, обнял руками трясущиеся колени и сидел так, слегка покачиваясь, пока боль не утихла немного. Затем осторожно поднялся, открыл зеркальный шкафчик. Там, в самой глубине, он отыскал небольшую пластиковую баночку. Этикетка была содрана. Внутри лежали желтоватые крупные таблетки. Он отправил в рот сразу две и принялся жевать, не запивая и не морщась от горечи.

Новейший английский обезболивающий препарат начал действовать через десять минут. Двух таблеток хватало на шесть-семь часов. Владимир Марленович встал под душ, почистил зубы, прополоскал рот сильным антисептиком с мятным ароматом, вылил на губку душистый гель, принялся натирать себя пеной, при этом бодро напевая какую-то случайную мелодию, как делал это вчера, и месяц назад, и год, и десять лет назад, словно ничего не изменилось.

* * *

Цепляясь за колючий кустарник, Стас едва удержался на крутом склоне. В нескольких метрах от него вилась тонкая незаметная тропинка. Трудно было представить, что кто-нибудь мог по ней пройти. Стас вскарабкался наверх и с небольшого безопасного пригорка увидел кабину трейлера совсем близко. Блики солнца не помешали ему разглядеть лица водителя и его спутницы. Хорошо, что он успел ухватиться за толстый оливковый сук, иначе непременно полетел бы в пропасть кубарем, потому что рядом с бородатым греком сидела белокурая черноглазая женщина, красивая, как фотомодель, и отлично ему знакомая.

С ловкостью, невероятной для такой многотонной громадины, трейлер миновал опасный поворот, проехал мимо Стаса, обдавая бензиновым жаром, и помчался вперед.

— Сэр, с вами все в порядке? — услышал Стас сквозь грохот мотора и звон в ушах. — Вам нужна помощь? Мы можем вызвать врача, больница здесь недалеко.

Рядом с ним стоял старик из закусочной, через дорогу приближались еще несколько греков.

— Вы успели увидеть номер? — спросил старик, заглядывая ему в глаза. — Надо сообщить в полицию.

От волнения старый Спирос так хорошо заговорил по-английски, что подбежавшие соседи удивились. Стаса под локотки отвели назад, в закусочную. К счастью, он не успел выехать из деревни. Жена хозяина и еще какие-то старухи захлопотали вокруг него, возбужденно переговариваясь по-гречески. Ловко расстегнули и сняли шлем, зачем-то принялись махать перед его лицом газетой. Он залпом выпил рюмку метаксы, поданную чьей-то сморщенной рукой, ощупал себя в поисках телефона и долго не мог отцепить его от пояса.

— Полицию мы уже вызвали, — сообщила ему на ломаном английском одна из старух.

— Зачем полицию? — тупо спросил Стас, включил телефон, набрал номер отцовской виллы и через минуту услышал сонный бас охранника Николая. Заплетающимся языком произнес название деревни и попросил приехать за ним как можно скорее. Охранник поинтересовался, что случилось, но Стас не ответил, он едва успел отключить телефон, вскочил, бросился в туалет. Его долго, мучительно рвало. Потом стало немного легче. Он умылся холодной водой, вышел, уселся за столик.

— Этого не может быть, — сказал он по-русски, глядя в добрые глаза старого грека, который подошел к нему и участливо наклонил голову.

— Что? — переспросил Спирос по-английски. — Еще метаксы? Воды? Кофе?

— Просто у меня начались настоящие глюки, — спокойно объяснил Стас, — во-первых, никто не знает, что я здесь. Во-вторых, они раздумали меня убивать. В-третьих, я ведь здорово накурился марихуаны, а вчера принимал экстази. Конечно, меня заглючило. Это шиза какая-то, заглючило меня, и все дела...

— Извините, какой это язык, сэр? — тревожно улыбнулся старый грек.

Вдали послышался тонкий вой полицейской сирены. Стас закрыл глаза и откинулся на спинку пластикового кресла. Больше всего на свете ему хотелось, чтобы его оставили в покое.

Все как будто сговорились постоянно напоминать ему о том кошмаре, который пришлось пережить в Москве. Каждое утро он уезжал из дома, носился по острову на своем мотоцикле и возвращался поздно вечером, надеясь, что все легли спать. Но они не ложились, ждали. Ему было тошно оставаться на вилле с родителями. Ему не нравилось смотреть на отца и вообще находиться с ним рядом. Чем-то нехорошим пахло от любимого папочки, чем-то совсем новым, тревожным и таким нездоровым, что запах улавливал даже нечуткий нос Стаса. Он инстинктивно боялся заразиться и избегал отца.

Мать ныла, лезла с разговорами, прислуга косилась как на прокаженного.

В крошечном городке, неподалеку от виллы, у самого въезда, был пункт проката автомобилей. Два дня назад Стас остановился, чтобы поменять там деньги. За хлипким конторским столом, заваленным цветными каталогами с фотографиями машин и ценами, сидела грудастая женщина в белой футболке.

— Почему вы такой грустный? — спросила она по-английски, отсчитывая ему бумажки.

Он взглянул на нее внимательнее и обомлел. На скуластом лице светились голубые скандинавские глаза. Короткие волосы выгорели до льняной белизны. Большой подвижный рот, пухлые мягкие губы. Она была некрасивая, широкая, грубая, но вся литая, глянцевая, смугло-розовая. Под тонкой футболкой жила своей отдельной, свободной от лифчика жизнью шикарная упругая грудь.

У Стаса пересохло во рту. Глаза его стали излучать томное сияние, голос приобрел глубокие бархатные нотки. Он ослепительно улыбнулся и сообщил, что ему надо взять напрокат самую дорогую машину, но не сейчас, а через неделю. Она принялась листать каталоги, расхваливать автомобили. Он в ответ понес совершенную околесицу, рассказал, как в прошлом году в Испании взял джип, у которого оказались внутренности «Запорожца». Она, конечно, не имела понятия, что такое «дзяпорожитс», и он, усевшись напротив, принялся смешно объяснять, наслаждаясь ее хриплым смехом и тягучим томным «О-о, ю киддинг!».

Стас чувствовал, что уже не говорит, а поет и слова не имеют значения. Он мог врать как угодно, она сердцем услышала его древнюю утробную песенку, как тетерка сквозь чащу слышит требовательный брачный зов тетерева.

Через десять минут он уже знал, что она из Швеции, зовут Матильда, двадцать четыре года, зимой учится в Стокгольмском университете, третье лето подряд приезжает сюда подрабатывать. Всегда мечтала познакомиться с настоящим русским «мюджиком», но здесь, к сожалению, очень мало русских туристов, а те, что есть, не заходят к ней в офис, а если и заходят, то попадаются все какие-то пузатые, хмурые и ни слова не понимают по-английски. Русский язык ужасно смешной, если послушать со стороны. Контору свою она закрывает в девять вечера, и, кроме дискотеки для голубых и розовых в соседнем городке, нет никаких развлечений. Она обожает лобстеров и тигровые креветки гриль, но для нее это очень дорого и она с удовольствием поужинает с ним сегодня в рыбном ресторане.

Когда она встала и вышла из-за своего хлипкого конторского столика, Стас увидел тугие джинсовые шорты, готовые лопнуть при первом прикосновении.

День показался ему бесконечным. Он до одури плавал, валялся на ближайшем пляже, наливался ледяным пивом, обгорел до томатной красноты. Ровно в девять вечера крепкий торс Матильды опустился на седло его мотоцикла, сильные руки, покрытые золотистым персиковым пушком, обхватили его талию, упругая грудь плотно прижалась к его спине и горячий ветер ударил в лицо.

27

В ресторане они так поспешно расправились с огромным лобстером, что не успели почувствовать вкуса. Стас расплатился и, обняв Матильду, прошептал ей на ухо:

— Теперь поедем к тебе.

— Нет, лучше к тебе, — возразила Матильда.

— У меня семья, — вздохнул он. Но тут же уточнил на всякий случай: — Родители очень «олд фэшен».

В ответ она, невинно потупившись, заявила, что еще недостаточно хорошо с ним знакома, чтобы приводить к себе домой, и сначала надо просто погулять.

— Я обожаю купаться при луне, — сказала она и повела его на пустынный пляж. Там, в лимонном лунном свете, под шелест волн и свист кузнечиков, они поспешно избавились от своей условной одежды и принялись за дело. Сначала упражнялись в воде, потом на берегу, стоя и сидя на полотенце. Но это оказалось неудобно. Хотелось прилечь, а камни были жесткими и холодными. Матильда немного подумала и решила, что теперь знает Стаса значительно лучше.

Она жила в дешевых апартаментах в двух шагах от ресторана. Попав в свою маленькую, идеально чистую келью, предложила Стасу сигарету с марихуаной. Покурив, они продолжили прерванные игры и упражнялись до рассвета. Утром, после короткого тревожного сна, она сказала, что должна отправляться в офис, а он может еще побыть здесь, поспать, отдохнуть и дождаться ее.

Стас долго валялся в постели, потом перекусил в кафе, спустился на пляж. Вечером на мотоцикле заехал за Матильдой, опять они ужинали лобстером, купались при луне, курили марихуану, а ближе к рассвету она предложила таблетку экстази, чтобы восстановить силы.

Утром она довольно грубо растрясла его и сообщила, что из города вернулся хозяин офиса, ее постоянный бой-френд, и следует немедленно освободить помещение. Кроме того, она напомнила о его желании взять напрокат джип и предложила внести небольшой денежный залог. Станислав счел это излишним, сказал, что раздумал брать машину, и в результате они с Матильдой расстались крайне холодно.

Сонный, мятый Стас отправился колесить по острову. Страшно не хотелось возвращаться к родителям на виллу. Он долго отсутствовал, не звонил, и предстояли неприятные объяснения. На это совершенно не было сил, и он решил на несколько дней снять комнату в одной из тихих горных деревень.

У него был постоянный маршрут, каждый раз он останавливался выпить воды и метаксы в таверне «У Спироса»...

Полицейский офицер тронул его за плечо, и пришлось открыть глаза, отвечать на вопросы.

По-настоящему Стас очнулся, лишь когда услышал:

— Вы принимали какие-нибудь наркотики, сэр?

— Нет, разумеется, нет, — ответил Стас слишком поспешно и тут же заметил неприятное напряжение в глазах офицера.

— Боюсь, вам придется пройти медицинский тест на наркотики, в противном случае иск не может быть принят.

Стас растерялся, не знал, что ответить, но тут, к счастью, подоспел Николай на своем маленьком белом «Рено». Несмотря на внешнюю тупорылость, он отлично владел английским, довольно быстро разобрался в ситуации и взял на себя все объяснения с полицией.

Через час белый «Рено» благополучно отчалил, увозя на заднем сиденье Стаса, вялого и безразличного, как ватная кукла.

———

ГЛАВА ДВАДЦАТЬ ТРЕТЬЯ

От прошлой жизни у Сергея осталось только имя. Отчество и фамилия были изменены. Райский выдал ему два паспорта, оба с фотографиями Станислава. Один принадлежал Герасимову Станиславу Владимировичу, русскому, 1964 года рождения. Второй — Найденову Сергею Михайловичу, тоже русскому, того же года рождения. На обе фамилии Сергей получил водительские права. Кроме того, на Герасимова имелись документы на три машины и пара кредитных карточек, а на Найденова — удостоверение майора ФСБ. В удостоверение был вклеен его собственный снимок. Для этого пришлось замазать гримом красные рубцы.

— Вы попали в небольшую автокатастрофу, — объяснил ему Райский, — все это время вы лежали в военном госпитале под Москвой и никого не хотели видеть, в том числе и двух своих постоянных любовниц.

Он тут же протянул ему фотографии двух

женщин. Первую, круглолицую миленькую блондинку с наивными голубыми глазами, звали Галина Качерян. Именно у нее ночевал Станислав, когда произошло покушение.

— Вы знаете ее с детства. Ее бабушка была вашей няней. С Галочкой у вас долгий вялотекущий роман. Вы иногда пользуетесь ею, если под рукой нет никого поинтересней. В ближайшее время она вряд ли появится, поскольку встречается с вами, когда ее муж в командировке, а ребенок у бабушки. Но позвонить может.

Вторую даму, коротко стриженную брюнетку с чувственным ртом и напряженными черными глазами, звали Дерябина Эвелина Геннадьевна. Сергей узнал, что ни мужа, ни детей у нее нет, что раньше она работала фотомоделью в престижном агентстве, теперь пишет дамские романы.

— Не волнуйтесь, читать не придется, — успокоил его Райский, — вы вообще ничего никогда не читаете, она это знает и не обижается. Отношения у вас с ней более сложные, чем с Галочкой. Вы познакомились пять лет назад, первые два месяца оба пылали нешуточной страстью, съездили вместе на курорт в Испанию. Нет, сентиментальных воспоминаний не бойтесь. Если Эвелина появится, то обсуждать вы будете совсем другое. Вот, просмотрите и постарайтесь запомнить, — Райский положил перед ним толстую папку, — если что не ясно, не стесняйтесь, спрашивайте.

В папке была копия уголовного дела об убийстве шофера Георгия Завьялова. Сергей узнал о странной шутке с блокировкой кредитных карточек, о пистолете, подброшенном в квартиру Эвелины.

— Как-то все это слишком сложно для Исмаилова, — пробормотал он, переворачивая очередную страницу, — чеченец не стал бы шутить с карточками, он просто снял бы деньги со счетов и положил в карман.

— Сразу видно, что вы никогда не имели дело с кредитками, — снисходительно улыбнулся Райский, — для того чтобы снять деньги, нужен секретный пин-код, четыре цифры. Обычно владелец карточек помнит свои пин-коды наизусть либо записывает их так, что найти невозможно, например прячет между цифрами какого-нибудь телефонного номера в записной книжке. Вы запоминайте, запоминайте, майор. Это тоже важные детали новой вашей роли.

— Ну ладно. Допустим, Исмаилов не мог снять деньги, — кивнул Сергей, — но он бы убил Станислава, а не его шофера. В крайнем случае изуродовал бы его так же, как ту девушку, и все дела.

— Не надо, майор, — поморщился Райский, — я сотни раз продумывал ситуацию, вертел ее так и сяк. Все значительно примитивнее, чем кажется на первый взгляд. Хищник играет с жертвой перед тем, как сожрать. Хищнику хочется сначала увидеть смертельный ужас в глазах жертвы, а потом уж полакомиться свежатиной. Исмаилов использует в своей игре подручные средства. Это всего лишь импровизация, причем довольно грубая. Он бросает в жертву тот камень, который попадается под руку в данный конкретный момент, и не надо искать в его поступках никакой сложной запредельной логики.

— Как-то все очень мелодраматично, — хмыкнул Сергей, — хищник, жертва... делать ему нечего, что ли? Да он бы просто грохнул этого Станислава и поимел бы от этого вполне полноценное моральное удовлетворение.

— Вам ли это говорить, майор? — криво усмехнулся Райский. — Вспомните, сколько всего происходило на ваших глазах с вашими товарищами и с вами лично. Хотя бы одного пленного по его приказу грохнули просто так, без предварительных пыток, издевательств? Смерть — это слишком легко. Он сыт по горло смертью как таковой. Ему хочется разнообразия.

— Ну хорошо, допустим, так. Но вы совершенно исключаете другие варианты? — Сергей поднял глаза на Райского и встретил яркие блики очков вместо взгляда. — Вы уверены, что Исмаилову вообще есть дело до этого Станислава? А вдруг с ним шутит кто-то третий?

— Я ничего не исключаю, — покачал головой полковник, — наш с вами герой довольно похабная личность и, возможно, успел обидеть не только Исмаилова. Но чеченец не мог проглотить обиду просто так, не поморщившись. И если сейчас Станиславу пытаются испортить жизнь, то это делает скорее Исмаилов, чем кто-то третий. Ну попробуйте, возразите мне, майор!

— Он просто убил бы или искалечил, — мрачно повторил Сергей, — это не он. Вы ошиблись, полковник.

— Даже если я ошибся, мы с вами ничего не теряем, — пожал плечами Райский, — все равно вы не могли бы работать и жить дальше с вашим прежним лицом. Из вас надо было сделать другого человека. Так почему не Станислава? В любом случае это дает нам реальный шанс выйти на Исмаилова. Он ведь с этой стороны не ожидает удара, Станислав для него либо жертва, над которой можно покуражиться, либо вообще никто, пустое место.

Сергей молча пожал плечами и углубился в чтение протокола допроса свидетельницы Дерябиной Эвелины Геннадьевны. Чем дальше он читал, тем больше удивлялся. Женщина говорила о мужчине с холодной, отчужденной брезгливостью. Она знала ему цену и тем не менее спала с ним, пустила в свой дом. Так не бывает даже у животных. Зачем он ей? Зачем она ему?

— Я не сумею, — сказал он, не поднимая глаз от листа.

— Что? — встрепенулся Райский.

— Я не смогу стать Станиславом. Я ничего не понимаю в этом человеке, в его мире.

— Ой, перестаньте, — поморщился Райский, — не прибедняйтесь. Его мир не бином Ньютона. Там все грубо и примитивно.

— Да, возможно. Но Эвелина Дерябина не производит впечатления примитивной дуры. Она расколет меня как пустой орех.

— Не исключено, — кивнул Райский, — однако не сразу. Она, конечно, заметит некоторые странности, перемены, она будет думать, решать задачку, но правильный ответ вряд ли ей придет в голову мгновенно. Не забывайте, вы больны. Вы еще не пришли в себя после автокатастрофы. У вас было сотрясение мозга и слегка изменилась личность. Почему нет? Главное, чтобы вас не расколола другая женщина. Подруга Исмаилова. Но это вряд ли. Она вас не так хорошо знает.

— Я должен буду с ней встретиться?

— А как же! Вы первым делом встретитесь с ней. Вы явитесь к ней домой с большим букетом цветов просить прощения. Вообще для того, чтобы просуществовать некоторое время с лицом Станислава Герасимова, вам придется сначала расчистить себе жизненное пространство, исправить кое-какие ошибки вашего недотепы-двойника. На сегодня все, майор. Можете идти. Внимательно ознакомьтесь с делом, а когда устанете, посмотрите видеокассеты, на которых заснят Станислав. Это любительская, домашняя съемка. Ничего интересного, просто вам надо изучить его мимику, привычные жесты. Порепетируйте перед зеркалом. Если понадобится, с вами поработает профессиональный преподаватель актерского мастерства.

У двери кабинета Сергей остановился:

— Михаил Евгеньевич, а что потом?

— То есть? — полковник удивленно поднял брови.

— После того как я исправлю его ошибки. Чем я буду заниматься дальше? Где жить?

— А, вы об этом? — Райский слегка поморщился. — Ну конечно, в свою бывшую квартиру вы вернуться не сможете. Там уже живут другие люди, и никакой компенсации вам получить не удастся, к сожалению. Но отдельную комнату в общежитии Академии ФСБ я вам гарантирую. И работу тоже. А дальше все зависит от вас. Думаю, у вас есть перспектива заработать на приличное жилье.

* * *

Телефонный звонок заставил Анжелу подпрыгнуть на диване. У изголовья на журнальном столике мелодично тренькал новенький мобильный аппарат.

Эту крошечную серебристую игрушку она обнаружила, когда вернулась из больницы, на тумбе в прихожей, в подарочной коробке, украшенной золотой ленточкой. Домработница Милка сообщила, что за несколько часов до ее возвращения коробку принес курьер службы «Товары на дом». Сказал, что все оплачено, и попросил расписаться.

В коробке оказался аппарат «Моторолла», совершенно новый, и книжка с инструкцией к нему на русском языке. Стоило его включить, и он тут же зазвонил.

— С возвращением, моя птичка, — ласково прорычал в трубке голос Шамиля Исмаилова, — как ты себя чувствуешь?

Она поблагодарила за подарок. Он объяснил, что эта игрушка должна быть постоянно при ней.

— Никогда не выключай. По нему только я тебе буду звонить, только я, и больше никто. Когда я буду звонить, ты сразу иди с телефоном в ванную и включай воду. Поняла?

— А я могу тебе позвонить? — спросила она, закрывшись в ванной и включив воду.

— Нет. Пока нет.

— Зачем ты хотел встретиться?

— Просто соскучился, — пробасил он насмешливо.

— Врешь. У тебя было ко мне какое-то дело.

— Ну зачем ты так, девочка? Неужели до сих пор злишься?

— Уже нет. Но все-таки не понимаю, для чего ты неделю назад сорвал меня из больницы?

— Мне надо было проверить, насколько серьезно тебя пасут.

— А то ты без проверок не мог догадаться, что пасут серьезно?

— Мог, конечно. Слушай, а эта твоя докторша, она вообще что за человек?

У Анжелы противно сжался желудок.

— Я тебя просила оставить ее в покое! — рявкнула она так громко, что в дверь постучала Милка и тревожно спросила, все ли в порядке. Анжела ответила, что все нормально, и перешла на шепот. — Ты можешь понять, что из-за тебя она чуть не отказалась оперировать меня?

— Не волнуйся, девочка. Деньги заплачены, никуда она не денется. Скажи, она задавала тебе какие-нибудь вопросы?

— Ой, елки зеленые! Ну какие вопросы? Ты совсем очумел? Она меня лечит. Она мой врач. Что ты к ней привязался?

— Почему она согласилась везти тебя домой? Она врач, но не шофер. О чем вы говорили по дороге в машине?

— О лечении говорили. Об операциях. О чем еще?

— Она была рядом, когда я тебе звонил. Она дважды была рядом. Ты говорила со мной при ней, в ее машине. Она спрашивала, с кем ты говоришь?

— Да ничего она не спрашивала. На хрен ты ей сдался! — Анжела опять сорвалась на крик.

39

— Потише, девочка, — мягко напомнил Шамиль.

— Извини, — прошептала Анжела.

— Ничего, малышка. Но вообще я не люблю, когда ты кричишь. Почему она согласилась отвезти тебя домой? — повторил он задумчиво, словно спрашивал себя самого.

— Да просто так! Я попросила, она согласилась. Больше некому было. Генка заболел и денег не оставил ни копейки. Мне что, на метро надо было ехать?

— Ладно, лапушка. Успокойся и попытайся вспомнить очень подробно, о чем ты говорила с докторшей. А я позвоню тебе на днях.

Анжела вышла из ванной, выключила телефон и отбросила его, как будто он был мерзкой лягушкой. Правда, отбросила осторожно, не на пол, а на мягкий диван и уже через несколько минут опять включила, положила в карман халата и больше не выключала.

«А что будет, если при следующем звонке я не уйду в ванную? — подумала она. — Моя квартира утыкана маленькими микрофончиками. Они повсюду. Они как тараканы. В детстве я больше всего на свете боялась тараканов. От них не было спасения, они выползали из всех щелей в доме моих родителей, стоило погасить свет. Их травили, приходилось уходить из дома, и потом неделю у всех болела голова. А тараканам хоть бы что... Интересно, когда-нибудь я поживу нор-

40

мально, как человек, а не как подстилка чеченского террориста? Впрочем, что значит — нормально? Где бы я была без Шамиля, без своего нежного, щедрого Шамочки? Пела романсы в ресторанах? Грызла бы стеклянные стены, пытаясь прорваться в большой шоу-бизнес?»

Она уселась в кресло, принялась листать журналы. На глянцевых страницах пестрели фотографии ее знакомых. Журналисты все так же щелкали знаменитостей на модных тусовках. Знаменитости все так же улыбались, меняли туалеты, выкидывали всякие двусмысленные фортели, подогревая интерес публики.

Мальчик с козлиным фальцетом женился на шестидесятилетней звезде, которая в советские времена пела лирическим басом песни о России, а теперь после десятка пластических операций решила опять выскочить на сцену. В журнале три разворота были заняты интервью с молодоженами и фоторепортажем со свадебного торжества. Звезда, давно пережившая климакс, застенчиво поведала корреспонденту о своей беременности. Зачем, интересно? И как потом она будет выкручиваться? Купит младенца или возьмет напрокат?

Молоденькая безголосая дурочка, которую патронировал какой-то бандитский авторитет, была заснята в обнимку с холеной коротко стриженной дамой. Подпись под снимком гласила: «Такая-то с близкой подругой». Скорее всего,

41

никакой близости там не было. Безголосая дурочка обожала мужиков, однако голубизна и розовость не выходили из моды.

«Эстрадная популярность — это акула, которая должна постоянно жрать парное мясо живого скандала. Так выпьем же за скандалы!» Анжела со злорадным удовольствием вспомнила фразу, произнесенную на пьянке в закрытом клубе каким-то истасканным продюсером. Кажется, его тогда не поняли. С ним не согласились. Все присутствующие предпочитали рассказывать в интервью о своих сложных художественных исканиях, о вдохновении и каторжном труде, о чуде, о Божьем даре.

Этот мир, с его фарфоровыми улыбками, силиконовыми грудями, оголенными спинами, бесконечно перекрашенными волосами, с его томным враньем, с его запредельной наглостью, с его прожорливым цинизмом, не стоил жизни и свободы маленькой девочки Анжелы, которая выбегала пописать на снег и смотрела на звезды со дна бескрайней тайги. Он мизинца ее не стоил, этот паршивый мир. Он так просто, так безжалостно забыл о ней, выплюнул, как косточку от сливы. Разглядывая фотографии в журналах, она видела свою тонкую грустную тень за спинами веселящихся знакомых и мучительно ненавидела их, и больше всего на свете желала вернуться к ним не тенью, а живой и невредимой звездой.

Перевалило за полночь. Домработница Милка легла спать. Анжела отбросила последний журнал, погасила свет. Хотелось свернуться калачиком, но лежать она могла только на спине. Балконная дверь была распахнута. Волна свежего сладкого воздуха залила комнату, ударила в ноздри. Анжела стала дышать глубоко, медленно, по старой детской привычке принялась напевать про себя песенку «Спят усталые игрушки». Но все никак не могла успокоиться и уснуть. Она не чувствовала ничего, кроме озноба, одиночества и страшной ватной слабости.

Тишину двора нарушал странный звук, монотонный и тоскливый. Сначала Анжеле показалось, что это воет ветер, но потом она стала различать отдельные слова, и не просто слова. Это был богатый, выразительный матерный монолог. Одинокий женский голос в пустом дворе проклинал весь мир и всех людей, его населяющих, отдельно мужчин, отдельно женщин и даже детей. Напряжение монолога нарастало, и после громкого, пронзительного вскрика неожиданно вступил второй голос, спокойный, взрослый, рассудительный:

— Ну перестань, перестань, ты же большая девочка, все будет хорошо, не надо ругаться, успокойся, тебе баиньки пора.

— Нет! — громко всхлипнул первый голос. — Всех ненавижу! Жить нельзя! — И опять поток грязного, отчаянного мата.

Анжела довольно долго лежала и слушала. Наконец не выдержала, встала, вышла на балкон. Во дворе, в кругу фонарного света, стояла одинокая нелепая фигура. Это была районная сумасшедшая Дуня, женщина неопределенного возраста, вся в рюшах, бантиках, в детских разноцветных заколочках. Анжела часто видела ее у булочной, у аптеки, во дворе на лавочке, у гаражей-ракушек. Однажды она подошла совсем близко и попросила сигарету. У нее было причудливо изуродовано лицо. Огромный, растянутый в вечной улыбке беззубый рот, раздвоенный плоский нос. Один глаз почти полностью затянут синеватым гладким веком, другой широко открыт. Сейчас она стояла одна в пустом дворе и разговаривала разными голосами, словно играла сама с собой в дочки-матери.

Анжела вернулась в комнату, закрыла балконную дверь, и стало тихо.

———

ГЛАВА ДВАДЦАТЬ ЧЕТВЕРТАЯ

Наталья Марковна знала, что в Москве началась активная работа по устранению опасности. В чем именно заключается эта работа, она понятия не имела. Владимир Марленович сказал, что заплатил Мише Райскому солидную сумму и теперь все в порядке. Когда они вернутся в Москву, проблема будет решена.

Генерал и генеральша страшно устали от постоянного страха за жизнь сына. Они были слишком старыми, чтобы выдержать столь долгий и мощный стресс. Генерал похудел, осунулся, еще никогда он не выглядел таким больным, но у Натальи Марковны после всех переживаний не осталось сил волноваться еще и за здоровье мужа. Ей хотелось покоя и тишины. Она вяло уговаривала себя и мужа не переживать из-за того, что Стас исчез и выключил телефон. Здесь, на Корфу, ничего плохого с ним произойти не могло. В конце концов, он взрослый мужчина и ему тоже надо расслабиться, наверняка познакомился с какой-нибудь одинокой туристкой из Европы, нагуляется вдоволь и вернется как миленький, никуда не денется.

Звонок Стаса прозвучал как гром среди ясного неба. Охранник Николай столь поспешно бросился к машине, что без всяких объяснений они оба поняли: опять с их сыном случилась какая-то гадость.

Через пару часов Николай привез его на виллу и скупо, спокойно объяснил, что произошла небольшая авария. На крутом повороте Стаса чуть не сшиб в пропасть огромный водовоз, но все обошлось. Стас сумел соскочить с мотоцикла в последний момент. Номер грузовика никто не запомнил. Полиция потребовала, чтобы Стас прошел медицинское обследование на наркотики, но в этом нет смысла. Придется долго судиться с компанией, которой принадлежит грузовик, и даже в случае положительного исхода дела полученные деньги не компенсируют и половины расходов на адвоката.

— Где и с кем ты был? — слабым, но суровым голосом спросил генерал. — Я потратил столько сил, времени и денег, чтобы обеспечить твою безопасность, а ты носишься по острову, по этому кошмарному серпантину, и тебе плевать на нас, ты даже не считаешь нужным позвонить...

— Ты принимал наркотики? — эхом подхватила генеральша.

— Слушайте, ну что вы ко мне привязались? — грубо заорал Стас. — Скажите спасибо, что я остался жив! После такого стресса не надо никакой наркоты!

— А до стресса? — Наталья Марковна схватила его за плечи, развернула к себе, попыталась заглянуть в глаза. Но глаза бегали и блестели, как механические стекляшки. — Почему ты опять выключил телефон? Где ты пропадал столько времени? Неужели нельзя было позвонить? Ты понимаешь, что мы старые, у нас с нервами плохо? Ты видишь, до чего довел отца?

Владимир Марленович сидел как изваяние в кресле-качалке. Лицо его стало мокрым, блестящим и таким бледным, что почти сливалось с бледно-зеленой стеной. У него начался обычный приступ боли, ему пора было принять лекарство еще полчаса назад, но он забыл и теперь думал только о том, как дойти до ванной, дотянуться до заветной баночки.

— Я хочу спать. Я устал. Отстаньте от меня! — кричал Стас. Он был в этот момент отвратителен. Красное, опухшее лицо, выпученные глаза.

— Хочешь, так ложись, — поморщилась генеральша, — только не ори как базарная баба.

Стас отправился в душ на первом этаже, шарахнув дверью так, что содрогнулся дом.

— Володя, в чем же мы с тобой ошиблись? Почему он такой, ну почему? — выдохнула генеральша, падая в кресло. — Ему наплевать не только на нас, но и на себя самого. Он живет сегодняшним днем и совершенно не думает, что будет завтра. Мы с тобой не вечные. Кому он нужен на этом свете, кроме нас?

— Кому-то все-таки нужен, — процедил генерал сквозь зубы, — кто-то хочет его убить. Кто-то думает о нем, следит за каждым его шагом.

— Ты считаешь, этот водовоз не случайно оказался у него на пути?

— Ничего я не считаю, — генерал мучительно сморщился и закрыл глаза. — Все, прости, Наташа, мне нехорошо, — он тяжело поднялся и отправился наверх, в спальню.

Генеральша последовала за ним, тревожно спрашивая, что случилось и где именно болит, но он, не сказав больше ни слова, поспешно заперся в ванной. Наталья Марковна постояла у закрытой двери, постучала, услышала вполне спокойный и живой голос:

— Не волнуйся, Наташа, я приму прохладный душ и посплю немного. Это от жары. Не волнуйся.

Она спустилась вниз, в гостиную. Там на кушетке спал Стас, неукрытый, в одних трусах. В кресле у телевизора охранник досматривал дневной выпуск новостей из Москвы.

— Как ты думаешь, Николаша, это правда случайность? — шепотом спросила генеральша.

— Конечно, Наталья Марковна. Вы же знаете, какие опасные здесь дороги, — ответил Николаша, выключил телевизор и, перекинув полотенце через могучее плечо, отправился на пляж.

Стас, как в детстве, спрятался в сон от всех разговоров и проблем. Осталось только накрыть его пледом, сесть рядом и смотреть на него спящего сколько душе угодно.

Наталья Марковна смотрела на Стаса и думала о Сереже. За тридцать шесть лет она так и не сумела забыть своего первенца. Стас спал тревожно, вздрагивал, стонал, вертелся. Она поправила плед, погладила влажный лоб, жесткие пепельно-русые волосы.

Сережа был бы сейчас точно таким же, но совершенно другим. Он жил бы иначе, не как Стас. Он бы не сидел на шее у отца, руководя какой-то фиктивной фирмочкой. Все в банке знают, что эта несчастная «Омега» существует только ради того, чтобы Стасик числился на приличной должности. Сережа вырос бы настоящим самостоятельным мужчиной, хорошо, правильно работал, и они с Володей гордились бы его успехами. Он бы обязательно женился, и были бы внуки, и жизнь имела бы какое-то осмысленное продолжение.

Генеральша часто представляла себе двух маленьких мальчиков-близнецов, ласковых, разумных, похожих сразу и на нее, и на Володю.

Она закрывала глаза и видела себя с большой двойной коляской в сквере под старыми тополями. Трепетали листья, плясали солнечные блики. Она затыкала уши и слышала выразительный детский лепет. Она так ясно представляла себе, как они растут, идут в школу, как с ними постоянно происходят забавные истории, поскольку они совершенно одинаковые и все их путают.

Иногда она делилась своими грезами с мужем, он криво усмехался в ответ и говорил: «Какие внуки, Наташа? У нас и так на руках огромный трудный младенец, от которого не знаешь, чего ждать, потому что он избалован до невозможности». Обычно дальше происходила небольшая вялая ссора, генеральша оправдывалась, убеждала себя и мужа, что воспитывала сына как могла, а если получалось неправильно, то кто же мешал ему, отцу, вмешаться?

Неизвестно, сколько времени она просидела так, глядя на Стаса и думая о другом, несуществующем человеке, о маленьком нежном херувиме, которого успела подержать на руках всего несколько минут тридцать шесть лет назад.

— Нет... не может быть. Мне показалось, это не могла быть она... ее нет... его нет... — пробормотал Стас и перевернулся на другой бок. Рука его взлетела так резко, что ударила Наталью Марковну по лицу.

— Что? Что ты, Стасик?

Но он не ответил, он спал очень крепко и говорил во сне.

* * *

В Керкуре, столице маленького греческого острова Корфу, с утра бушевал ветер, такой мощный, что зонтики в кафе на набережной выворачивались наизнанку и рушились вешалки с одеждой у уличных торговцев. Огромный серебристый трейлер остановился на окраине, у бензоколонки, неподалеку от пустынного дикого пляжа.

Из кабины вылез бородатый крепкий мужчина, потянулся, хрустнув суставами, обошел грузовик, открыл дверцу и подал руку высокой тоненькой девушке. Она была в узких потертых шортах и открытой майке. Бешеный ветер тут же подхватил и принялся трепать ее длинные платиновые волосы.

— Пойду выпью что-нибудь, — пробасил бородатый по-русски, отдал девушке ключи и скрылся в маленьком кафе.

Девушка легко сбежала вниз, к пляжу. Там на соломенных циновках под беспощадными лучами солнца спали, обнявшись, мужчина и женщина.

— Микос! — громко позвала девушка.

Двое вскочили и стали тревожно озираться. Мужчина направился к девушке, его подруга осталась сидеть на циновке.

— Привет, Микос. Как вы можете спать под таким солнцем? Не боитесь обгореть? — спросила девушка по-английски, когда он подошел ближе.

— Мы выросли под этим солнцем, — ответил мужчина, — мы никогда не обгораем. А вот тебе, Ирен, надо быть осторожной с солнцем. Ты такая нежная, белокожая, — он оглядел девушку откровенно восторженным взглядом и оскалил в улыбке яркие безупречные зубы, — не ждал вас так рано. Думал, вы будете кататься на моей бандуре до ночи.

У него был неплохой английский, но с сильным греческим акцентом.

— В следующий раз, Микос, мы обязательно возьмем твою бандуру на всю ночь, — улыбнулась в ответ девушка. — Человек, который на такой громадине может ездить по вашим дорогам ночью, просто гениальный водитель. А мы пока только туристы, которым захотелось развлечься.

Ее английский был значительно лучше. Легкий акцент казался скорее французским, чем русским. Она достала из сумочки несколько зеленых купюр и протянула греку.

— Спасибо, Ирен, — кивнул он, — всегда рад одолжить тебе свой грузовик. Если в следующий раз, когда ты захочешь покататься ночью, твой друг будет занят, я с удовольствием составлю тебе компанию.

— Правда? Я подумаю об этом. А твоя подруга не станет возражать?

— Это не подруга. Это жена, — прошептал Микос и весело подмигнул, — мы ей не скажем. А если она случайно узнает, то все равно никуда не денется. У нас трое детей.

— Серьезно? Вы такие молодые, и уже трое? Рада за вас. Вот, чуть не забыла, ключи от машины.

— Спасибо. Надеюсь, никаких приключений у вас не было? С нашей дорожной полицией не познакомились?

— Ты же сам говорил, что у вас ее практически нет, — девушка откинула волосы с лица, — ваши горные дороги заставляют ездить осторожно без всякой полиции.

— Значит, мне не надо ждать никаких сюрпризов? — Микос прищурился и чуть склонил голову набок. — Ты гарантируешь, что вы с приятелем на моей машине никого не сшибли в пропасть?

— Ну если не считать парочки туристических автобусов и десятка бестолковых мотоциклистов, то никого, — рассмеялась девушка. — Ладно, Микос, иди скорей к жене, она так смотрит на нас, что мне страшно за твое семейное благополучие. Счастливо, дорогой. Еще увидимся, — она легко вскарабкалась вверх, к шоссе. Микос проводил ее долгим прищуренным взглядом, затем пересчитал купюры, одну ловко спрятал в плавки, вернулся к жене, сел рядом с ней на циновку и протянул остальные три.

— Что это? — грозно спросила мужа полная яркая гречанка и уставилась на него жгучим черным взглядом.

— Триста долларов, — улыбнулся Микос, — триста новеньких американских долларов, которые я заработал всего за пять часов, совершенно ничего не делая.

— Мне не понравилась эта девица. Кто она такая? Где ты с ней познакомился?

— Она француженка. Богатая сумасшедшая туристка. Вчера вечером подошла ко мне на этой бензоколонке и спросила, не могу ли я одолжить на день ей и ее другу свой грузовик.

— И ты, как полный идиот, сразу согласился?

— Не сразу. Для начала я назвал очень большую цену. Триста долларов. Думал, она откажется, но она даже не стала торговаться.

— Да? В таком случае она не француженка. Французы ужасно жадные.

— Господи, Елена, какая нам с тобой разница, кто она? Лучше подумай, что делать с этими деньгами. Положить в банк или купить наконец новую стиральную машину?

— Не знаю, Микос. Это нехорошие деньги. На твоем месте я бы прежде всего проверила, все ли в порядке с грузовиком, нет ли на нем следов крови сбитого человека. — Елена поднялась с циновки, осторожно ступая по камням, направилась к морю. У самой кромки воды она обернулась и крикнула: — Ты дурак, Микос! Эта девица вовсе не француженка! Иди проверь грузовик, а заодно и доллары. Вдруг они фальшивые?

— И вовсе я не дурак, — проворчал Микос, сладко потягиваясь на циновке, — доллары настоящие. Сотню, которую она дала в задаток, я вчера поменял на драхмы. Если бы я был дурак, то отдал бы тебе не триста, а все пятьсот и не догадался бы попросить у красотки Ирен паспорт. Может, она и не француженка, но паспорт французский. Я на всякий случай запомнил имя, фамилию и номер. Если что не так, могу сообщить все это полиции. — Микос смотрел, как мелькает в несильных волнах черная голова его жены. Елена отлично плавала, но никогда не ныряла, поскольку прическу делала в парикмахерской и не хотела ее портить.

А девушка с платиновыми волосами вошла в маленький бар у бензоколонки и села за столик напротив своего бородатого спутника.

— Ну что, Ирка, расплатилась с греком? — спросил он хрипло. — Не кажется тебе, что это слишком жирно — пятьсот баксов?

— Не кажется, — покачала головой Ирина, — и вообще, все это не твое дело. Пожалуйста, свежий апельсиновый сок и кофе эспрессо, — обратилась она к официанту, достала сигареты и закурила.

— Конечно, не мое, — кивнул бородач, — но ты можешь объяснить чисто по-человечески, если этот тип так достал Палыча, то почему мы его просто не замочили сегодня? Что за странные игры?

— Именно потому, что он слишком достал Палыча, мы его не замочили, а только напугали, — медленно, тихо произнесла Ирина и выпустила три аккуратных колечка дыма.

— Не понимаю, — пожал плечами бородач, — он что, Палычу много бабок должен и мы пугали, чтобы вернул, в натуре?

Официант поставил перед ней стакан сока и чашку кофе. Она положила сигарету, отхлебнула сок и задумчиво произнесла:

— Нет, Гундос, никогда не бывать тебе смотрящим.

— Это почему? — насупился бородач.

— Потому, что в голове у тебя одни только бабки. Человек, которого мы сегодня не замочили, Палычу, конечно, должен. Но не бабки. Долг его значительно больше.

— Ну ладно, Ирка, не гони пургу. Самая умная, да? Больше бабок могут быть только очень большие бабки. А если нельзя вернуть, то просто мочат, в натуре, и все дела.

— Десять лет жизни, — пробормотала Ирина, — самые лучшие десять лет. Вот что он должен.

— Так замочили бы. Что базарить зря? Если

56

бы он валялся сейчас дохлый на дне пропасти, это была бы хорошая плата.

— Да, неплохая, — кивнула Ирина, — но Палыч не считает такую плату достаточной.

— И долго мы будем его пугать? — спросил Гундос.

— Не знаю. Наверное, пока он не поймет, что натворил, и не захочет рассказать об этом.

— Кому именно рассказать?

— Ну хотя бы самому себе.

———————

ГЛАВА ДВАДЦАТЬ ПЯТАЯ

Серебристый «Фольксваген»-капля был похож на красивую новенькую игрушку, которую минуту назад достали из коробки, перевязанной ленточками. Сергей не верил, что эта крошка поедет, пока не включил двигатель. У крошки был великолепный мягкий ход. На таких машинах Сергею доводилось ездить разве что в детских мечтах.

Окна закрывались и открывались автоматически. Кондишен позволял создать в салоне любую температуру, какая нравится. Из магнитолы звучала музыка, и качество звука оказалось таким, как в Большом зале Консерватории. Сергей сделал торжественный круг по территории базы, с сожалением оставил машину и отправился в кабинет к Райскому.

— Можно подумать, вы бывали в Большом зале консерватории, — снисходительно усмехнулся Райский, когда Сергей поделился с ним впечатлениями от первого знакомства с машиной.

— Почему? Бывал. Мама водила — в детстве часто, а когда стал взрослым, конечно, реже. Она у меня пианистка. Обычно брала с собой на концерты тетради с нотами, читала с листа и тихонько подпевала. Я не так музыку слушал, как наблюдал за ней. Очень было интересно, как она переживала каждую ноту, у нее такое становилось лицо... — он осекся, встретив ледяной блеск очков полковника.

— Ну извините, извините, вы не так меня поняли. Майор Сергей Найденов, конечно, ходил на симфонические концерты, ничего в этом странного для меня нет. Но Станислав Герасимов никогда в жизни не был ни в Консерватории, ни в Зале имени Чайковского. Стас терпеть не может серьезную музыку. Если хотите съездить на кладбище, то лучше это сделать завтра с утра, до того, как вы легализуетесь, — кашлянув, добавил он, — заодно обкатаете машину. Как зовут вашего отца?

— Герасимов Владимир Марленович.

— Кто он?

— Генерал ФСБ, три года в отставке. Вы были у него в подчинении. Сейчас он является председателем Совета директоров банка «Триумф».

— Мать?

— Герасимова Наталья Марковна. Когда-то работала учителем начальных классов.

— Как называется фирма, которой вы руководите?

— «Омега».

— Секретарши?

— Рита Симкина, брюнетка, Марина Степанцова, рыжая.

— Какие у вас с ними отношения?

— С Мариной я спал, с Ритой пока только собираюсь. На обеих позволяю себе орать. Тьфу, пакость какая...

— Что делать? Привыкайте. Впрочем, спать вам пока ни с кем не придется, вы еще долго не сможете оправиться после автокатастрофы. И орать не придется. У себя на фирме вы вряд ли появитесь. Как зовут начальника охраны банка «Триумф»?

— Плешаков Егор Иванович. Прозвище Плешь.

— Когда вы встречались с ним в последний раз и о чем говорили?

— Я приехал в банк на следующий день после убийства шофера Георгия Завьялова.

— Гоши. Шофера вы всегда называли Гоша и фамилию его вообще не помнили. Продолжайте.

— Я приехал в банк, чтобы выяснить, почему заблокирована моя кредитная карточка. Меня проводили в кабинет Плешакова. Там находился Владимир Марленович Герасимов.

— Папа, — криво усмехнулся Райский, — там находился ваш папа. Вы уже знали о том, что убит шофер?

— Нет. Но это неправда. Я соврал.

— Так, стоп. Что за импровизация? — Райский снял очки и удивленно уставился на Сергея.

— Это не импровизация. Я трижды просмотрел видеозапись разговора в кабинете начальника охраны, и мне странно, как участники разговора не заметили, что Стас врет. Ладно, с генералом, то есть с папой, все понятно. Он очень нервничал, и вообще он лицо заинтересованное. Но Плешаков должен был догадаться.

— Догадался он или нет, мы с вами все равно не узнаем, — пожал плечами Райский, — в конце концов, зарплату он получает из рук вашего папы и на многое предпочитает закрывать глаза. Как вам кажется, вы бы в этой ситуации сумели соврать искусней?

— А зачем?

— Ну мало ли зачем люди врут? Есть тысячи разных причин.

— В этой ситуации врать мне пришлось бы только по одной причине — если бы я сам убил шофера Гошу.

— Зачем же вам было его убивать?

— Пока не знаю.

— Вы не делали этого, — широко, ласково улыбнулся Райский, — вам это было совершенно не нужно. А соврали вы потому, что малодушно удрали, увидев в машине труп шофера.

— Я что, идиот?

— Нет. Вы не идиот. Но вы жуткий трус и

лентяй. Вы, как теперь принято выражаться, «пофигист». Кстати, запомните это словечко. Итак, вы удрали вместе с вашей подругой Эвелиной потому, что вам до смерти не хотелось общаться с милицией, давать показания. Вы тихо смылись, оставив все как есть. И в этом, заметьте, вся ваша человеческая суть. Убить кого-то вы вряд ли сможете, если только совсем случайно. А вот удрать, оставить в беспомощном состоянии — это запросто. Между прочим, прошу заметить: Эвелина вас так и не выдала.

— Откуда же стало известно, что мы с ней удрали?

— Вас двоих видела и опознала по фотографиям уборщица парфюмерного магазина, у витрины которого произошло убийство. Она же засвидетельствовала, что вы не убивали.

— Погодите... Но этого не было в тех материалах, которые я читал.

— Правильно. Уборщицу удалось найти и допросить только вчера.

— Так, может, она и убийцу видела?

— Нет. Она пришла убирать магазин через полтора часа после убийства.

Сергей достал из кармана пачку «Честерфильда», хотел закурить, но полковник ловко отнял у него сигарету и протянул свою пачку.

— Вы курите только «Парламент-лайт». Кстати, вот вам от меня подарок, — он выдвинул ящик стола, достал красиво упакованную коробку. Внутри оказалась новенькая зажигалка «Зиппо» с баллончиком и набором запасных кремней.

— Спасибо, — удивленно улыбнулся Сергей.

— На здоровье. Учтите, это чистое серебро. Вы ведь обожаете дорогие безделушки. На руке у вас может быть только «Роллекс». Ваш бумажник как минимум фирмы «Петтек», обувь — «Саламандра», замшевая, настоящая, ни в коем случае не подделка. Ручка, естественно, «Паркер», с золотым пером. Ну что вы так напряглись? Не беспокойтесь, все это вы найдете у себя в квартире.

— Найду в квартире? А разве я не взял с собой в Грецию любимые дорогие вещицы?

— Конечно, взяли, — рассмеялся Райский, — но неужели вы думаете, что у вас только одни часы, один бумажник и одна пара обуви? Впрочем, если чего-то не хватает, вы можете купить.

— Где?

— Ну, не на Савеловском рынке, конечно. Пройдите хотя бы по Тверской, там много неплохих бутиков, можете съездить в «Стокман» на Смоленской. Какой туалетной водой вы пользуетесь?

— Эта... как ее? — Сергей растерянно защелкал пальцами. — На букву «Ч». Нет... забыл.

— «Гуччи», — улыбнулся Райский, — такие вещи следует помнить.

63

— Ладно. Буду помнить. Скажите, Михаил Евгеньевич, а кроме всех этих «Петтеков», «Саламандр» и «Гуччей» я вообще о чем думаю?

— То есть?

— Я знаю, что за мной охотится Шамиль Исмаилов?

— И да, и нет. Вам была изложена эта версия, но вы не согласны. Вы искренне не понимаете, в чем провинились перед чеченцем. Вы убеждены, что ваши ухаживания за Анжелой были ее выдумкой. Вы не помните, что и кому говорили о певице. Просто не помните и все, несмотря на то что минимум пять человек охотно пересказывают ваши жалобы на сексуальные домогательства с ее стороны и попытки совратить вас при помощи таблеток «экстази».

— Класс, — покачал головой Сергей, — как, оказывается, здорово у меня устроены мозги, какой я весь из себя разумный, добрый и честный. Наверное, за мной охотятся сказочные злодеи, маньяки-завистники, просто потому, что они плохие, а я хороший?

— Ну примерно так, — улыбнулся Райский, — вижу, вы начинаете понемногу разбираться в самом себе.

— Нет, а если серьезно, я имею некие собственные мысли, предположения, кто и почему хочет меня убить?

— Конечно, конечно, вы же разумный человек, у вас, естественно, созрела собственная версия, вы даже предприняли небольшое самостоятельное расследование, чего от вас никто не мог ожидать. Вы стали подозревать, что вас преследует ваш бывший сокурсник, некто Михеев Юрий Павлович. Надо сказать, определенная логика в ваших рассуждениях присутствовала. В 1985 году Михеев был осужден по статье 105-1, предумышленное убийство, и приговорен к десяти годам заключения. Михеев убил девочку, сокурсницу вашу и его. Ее звали Маша Демидова. Картина преступления была очевидной, вина Михеева полностью доказана. Однако многие сочли приговор слишком суровым. Вполне можно было инкриминировать Михееву сто девятую статью, причинение смерти по неосторожности. Но он вел себя настолько вызывающе на суде, что все испортил. К тому же Маша Демидова была единственной дочерью высокого чиновника Министерства иностранных дел, родители требовали самого строгого наказания для убийцы, в общем, адвокат ничем не сумел ему помочь. История эта довольно сильно взбудоражила институт и особенно курс, на котором учились вы и Михеев. Некоторые говорили, что причиной убийства послужил ваш роман с Машей. Михеев был очень сильно влюблен в нее с первого курса, а вы уже тогда, в юности, не могли пропустить ни одного хорошенького личика.

— Ага, понятно. И вот я решил, что Михеев

вышел из заключения и хочет свести со мной счеты? — неуверенно пробормотал Сергей.

— Да, именно так. Вы разыскали своего бывшего сокурсника, встретились, поговорили и убедились в собственной правоте. Михеев хронический алкоголик и маньяк. Он считает вас главным виновником всех своих бед. Он, находясь в состоянии белой горячки, прицепил взрывчатку к вашей машине. Но потом передумал вас сразу убивать, решил сначала помучить, для чего заблокировал ваши карточки, убил шофера Завьялова, а затем подбросил орудие убийства в квартиру Эвелины Дерябиной. Ну что вы на меня так смотрите, майор? — Райский рассмеялся, сверкая зубами. — Разумеется, мы все проверили самым тщательным образом. В квартире, в которой происходила ваша встреча с Михеевым, давно никто не живет, дом в аварийном состоянии, а телефонный номер, по которому вы связывались с его младшей сестрой Ириной, принадлежит похоронной конторе.

— Простите, не понял, — смущенно кашлянул Сергей.

— Вот и мы не поняли, — лицо Райского стало серьезным, — мы вас, Станислав Владимирович, совершенно не поняли. Дело в том, что Михеев Юрий Павлович благополучно скончался пять лет назад от открытой формы туберкулеза в архангельской больнице, а его младшая

66

сестра Ирина, которая дала вам несуществующий адрес, отбыла вместе с родителями на постоянное место жительства в США четыре года назад. Мы только зря потратили силы и время на проверку.

Сергей вытащил свою новенькую «Зиппо», залил в нее бензин, несколько раз пощелкал. Зажигалка работала отлично, ее было приятно держать в руках.

— Зачем же я все это выдумал? Ведь не в моих интересах путать следствие, — произнес он и закурил «Парламент-лайт», — неплохие сигареты, но все-таки слишком слабые для меня.

— Зато не такие вредные, — заметил Райский, — слушайте, а правда, зачем вы все это выдумали? Не знаете?

— Понятия не имею. Но все-таки я не сумасшедший. Куда-то я ведь звонил, ездил, с кем-то встречался? Или нет?

— Ну, наверное, вы встречались с тенью, как принц Гамлет. Вы вообще любитель приврать, за вами это с детства водится. Слушайте, майор, да что вы привязались к этой дурацкой истории? Нам с вами надо думать о Шамиле Исмаилове, и только о нем. Давайте отделять зерна от плевел.

— Разумеется, Михаил Евгеньевич.

— Я рад, что мы с вами понимаем друг друга, — холодно кивнул Райский, — есть еще вопросы?

— Тень убитого короля видел не только принц. Были еще свидетели. И было убийство. Призрак не врал, — задумчиво пробормотал Сергей.

— Что, простите? — Райский оторвался от бумаг, в которые уткнулся минуту назад, давая понять, что разговор на сегодня окончен.

— Куда-то я все-таки ездил и с кем-то встречался, — сказал Сергей, вставая, — вы сами сказали, как важно мне знать самого себя.

— Сказал. Ну и что?

— Вы ведь извлекли из архива дело этого Михеева?

— Да, разумеется.

— И копию сняли?

Райский встал, вышел из-за стола, приблизился к Сергею и произнес, пристально глядя ему в переносицу:

— Зачем вам это нужно, майор? Перед вами поставлена весьма конкретная задача. Не стоит отвлекаться.

— Моя задача — только Исмаилов? Безопасность Станислава Герасимова меня не должна беспокоить? — еле слышно спросил Сергей.

— Это одно и то же, — так же тихо ответил Райский.

— А если все-таки нет?

Несколько секунд лицо Райского оставалось непроницаемым. Очки сверкали, губы были плотно сжаты. Полковник молчал и, вероятно, что-то решал про себя. Сергей не торопил его, принялся вертеть и разглядывать свою новенькую зажигалку. Наконец Райский вернулся за стол, расслабленно опустился в кресло, снял очки и растянул губы в спокойной дружеской улыбке.

— Ну вы и тип, майор. Не ожидал от вас такого упрямства. Охота вам копаться в уголовном деле пятнадцатилетней давности? Охота тянуть пустышку? Извольте, — он открыл ящик, извлек увесистую папку и шлепнул ее на стол перед Сергеем, — вот вам копия, в полном объеме. Читайте, наслаждайтесь, можете ее с кашей съесть. Но только не в ущерб нашей с вами основной задаче.

* * *

«Господи, что же со мной происходит? — думала Юлия Николаевна Тихорецкая, расчесывая мокрые волосы перед зеркалом. — Какое мне дело до этого человека? Почему я хитрю с собой, сочиняю разные предлоги, чтобы встретиться с ним еще раз? Спасибо, только сочиняю и ничего не предпринимаю. А ведь так хочется, еле сдерживаюсь, чтобы не позвонить Райскому. Вы знаете, Михаил Евгеньевич, меня беспокоит правая носогубная складка моего бывшего больного. Как я могу с ним связаться?» Юля скорчила перед зеркалом глупую романтическую рожу, получилось смешно, она попыталась рассмеяться, но вместо этого чуть не заплакала. Включила фен, короткие влажные волосы встали дыбом под струей горячего воздуха.

В ее теперешней жизни все было разложено по полочкам и рассчитано по минутам. Ей просто некогда и не в кого было влюбляться. С каждым годом выбор уменьшался, медленно, но верно приближаясь к нулю. Мужчины ее возраста и старше были женаты. Таких отношений, вороватых и бессмысленных, она не хотела. Оставались холостяки, но эта порода отличалась странностями и делилась на три категории — самовлюбленные болваны, застенчивые меланхолики и сумрачные коллекционеры любовных побед с жалобными глазами и липкими лапами. Все одинаково скучно.

Иногда на Юлю накатывали острые приступы одиночества, она начинала чувствовать, как стремительно уходит время, как тяжело и холодно дышит в затылок старость. Она заставляла себя думать о работе, о своих больных, о Шуре. Из зеркала смотрело молодое, красивое лицо. Все было хорошо, и вряд ли стоило что-либо менять.

— Мам, ты что с собой сделала? — Шура возникла в зеркале за спиной Юли и уставилась на нее так, словно увидела впервые в жизни.

Фен гудел. Юля не слышала, как она вошла.

— Шурище, ты уже вернулась? — спросила она, выключая фен и растерянно улыбаясь.

— Нет, мамочка, я еще в пути, — хмыкнула Шура, — мам, ну скажи честно, что с тобой происходит?

— Ничего. Почему ты спрашиваешь?

— Ты какая-то не такая. Совсем новая. Помолодела лет на десять и похорошела.

— Это тебе так кажется, мы просто с тобой стали редко видеться, и ты от меня отвыкла.

— Да нет же, мамочка, я тебя наизусть знаю, ты очень сильно изменилась, — упрямо повторила Шура, — это все замечают. Не только я.

— Кто же, интересно?

— Вика. Она сказала, ты стала порхать, как птичка, и все время улыбаешься. К чему бы это, мамочка?

— Ой, прекрати, — поморщилась Юля, — я сплю не больше пяти часов в сутки, я дико устала и выгляжу отвратительно. Смотри, какие у меня синяки под глазами, щеки ввалились. Чтобы не быть бледной как смерть, я румянюсь. И вообще, отстань. Расскажи, что сегодня было в школе.

— В школе, между прочим, меня достали: почему я никому не рассказала, что моя мама оперирует великую Анжелу.

— Что, прости?

— О, проснулась наконец! Доброе утро! У нас в классе есть две девочки, фанатки Анжелы. Сегодня они привязались ко мне на большой перемене, умоляли, чтобы я передала тебе постеры с портретами их обожаемой певицы и чтобы ты попросила для них ее автограф. Я, конечно, картинки не взяла, но обещала с тобой поговорить. Мам, ну я не могла их послать. Тактичные намеки они не поняли, а на откровенность я не решилась, они все-таки мои одноклассницы, мне совершенно не хочется иметь врагов. Я и так отбивалась от них как могла. Не представляешь, сколько вопросов они мне задавали! В гости напрашивались, чтобы с тобой встретиться.

— И какие же вопросы?

— Ну, например, правда ли, что Анжелу изуродовал из ревности ее любовник, чеченский террорист Шамиль Исмаилов? Правда ли, что он лично оплатил ее лечение? Они стали уверять меня, будто ты с ним встречалась и он дал тебе чемодан зеленого налика, чтобы ты оперировала Анжелу. Еще они просили, чтобы я узнала у тебя, какое станет у Анжелы лицо после операции. Точно такое, как было, или другое. Ну что с них взять, с убогих?

— Так, погоди, — Юля зажмурилась и покрутила головой, чтобы немного прийти в себя, — давай-ка по порядку. Откуда они взяли весь этот бред: чеченского террориста, чемодан с зеленым наликом и прочее?

— Мам, ну ты что, вчера родилась? — Шура удивленно вскинула брови. — Из желтой прессы, конечно. Откуда еще? Они сидят в Интернете, выискивают все, что есть об их кумире. Можешь сама посмотреть, если так интересно. А я, между прочим, есть хочу.

— Да, конечно, сейчас я что-нибудь приготовлю.

— Мама, у нас пустой холодильник, — надменно простонала Шура, — ты забыла, Вика у нас больше не живет. Это при ней всегда было что покушать. А сейчас мы опять вернулись к своему первобытному состоянию. Может, сходим куда-нибудь, пообедаем? Заодно отпразднуем твое возвращение из командировки и мои пять баллов за городскую контрошку по английскому. Между прочим, это не просто оценка. Это покупка скетчерсов.

— Каких скетчерсов, Шура?

— Тех самых ботинок, ну я рассказывала тебе, они огромные и плоские, будто на них слон посидел.

— Ты же говорила, что они уже вышли из моды.

— Мама, это гриндерсы вышли из моды, — презрительно сморщилась Шура, — а скетчерсы только вошли. Ты обещала, что, если я получу пять баллов за городскую контрошку, мы поедем покупать скетчерсы. Так что мы с тобой садимся в машину и отправляемся в «Рамстор». Там и пообедаем.

Меньше всего Юле хотелось оказаться сейчас в огромном торговом центре. Она терпеть не могла походы по магазинам, особенно по большим и многолюдным. Обычно через двадцать минут у нее начинала слегка кружиться голова, через сорок подкашивались колени. Но Шура была неумолима. Ботинки, на которых посидел слон, казались ей символом абсолютного счастья. Недавно таким же символом служила кожаная летная куртка. Купив ее, Шура пела от счастья около трех дней, потом затихла, убрала куртку в шкаф и вскоре мучительно захотела скетчерсы. Они ей даже снились иногда, как раньше снилась куртка, а еще раньше длинная узкая юбка с железной молнией, и другие вещи, ныне забытые, запиханные в мертвую глубину шкафа либо сосланные на антресоли навечно.

«Возраст, возраст, будь он неладен», — повторяла про себя Юля, одеваясь и поглядывая искоса на дочь, которая, как стреноженная лошадка, нетерпеливо перебирала ногами и дула на свою длинную русую челку.

— Мам, почему тебя никто не охраняет? — спросила Шура, когда они подошли к машине.

— Зачем?

— А вдруг террористу не понравится, как ты оперируешь его знаменитую подружку? Ну мало ли, окажется, что ваши взгляды на женскую красоту не совпадают...

— Перестань.

— Я, конечно, перестану. Но, между прочим, вон тот черный «Ауди» никогда раньше в нашем дворе не стоял, а теперь торчит каждый день, причем не пустой, а с пассажирами. Спорим, он сейчас поедет за нами?

— Спорим, нет?! — раздраженно рявкнула Юля и завела машину, даже не взглянув туда, куда указывала дочь.

— Я не понимаю, почему ты злишься, — Шура дернула плечиком и надулась.

Несколько минут ехали молча. Юля включила музыку. Шура принялась машинально подпевать сестрам Берри, исполнила вместе с ними пару песен и вдруг замолчала на полуслове, застыла с открытым ртом, уставилась в зеркало, как загипнотизированная, и прошептала:

— Мам, ты будешь смеяться, но этот «Ауди» правда едет за нами.

В зеркале Юля видела множество машин. Был час пик, по Бутырскому валу медленно двигался разноцветный поток. Возможно, в нем были «Ауди» черного цвета, и красного, и зеленого, и какого угодно.

— Конечно, я буду смеяться, Шурище. Неужели тебе мало сладкого предвкушения покупки клоунских башмаков и ты хочешь по дороге поиграть в детективный телесериал для полноты впечатлений? Или на тебя так сильно подействовала беседа с одноклассницами, фанатками Анжелы, и ты поверила, что твоя скромная мама получила из рук чеченского террориста чемодан долларов?

— Мам, тот человек, длинный, худой, в очках, — тихо, задумчиво проговорила Шура, продолжая глядеть в зеркало, — он приходил к нам ночью, вы сидели на кухне, ты еще сказала, что это по работе, а потом уехала в командировку...

Позади громко загудели. Следовало прибавить скорость, пробка почти рассосалась, но Юля не успела заметить этого и продолжала ехать очень медленно.

— Ну, Шурище, что ты хотела спросить?

— Он был из ФСБ?

— Почему ты так решила?

— Мама, ответь, пожалуйста, честно, без фокусов, да или нет.

— Нет, Шура. Нет. Успокойся. Чтобы ты не выдумывала всякой ерунды, я расскажу тебе то, о чем рассказывать не имею права никому, даже самой себе. Этот человек обратился ко мне по рекомендации Петра Аркадьевича. Он секретарь одного важного правительственного чиновника. У чиновника есть жена, которой срочно потребовалась пластическая операция. В клинику, даже в нашу, она ложиться не хотела. За границу отправляться тоже не желала.

— Почему?

— Ну не знаю. Придурь у нее такая. Впрочем, она мне призналась, что боится надолго оставлять своего мужа без присмотра. Пришлось оперировать ее дома. Дом находится под Москвой, довольно далеко. Вот тебе моя командировка.

— Нормально! — Шура покачала головой и перестала наконец глядеть в зеркало. — Но для операции нужна куча всякого оборудования.

— Завезли, — криво усмехнулась Юля, — причем такое, какого нет даже в нашей клинике.

— А потом куда дели?

— Продали нам по дешевке. Петр Аркадьевич был очень доволен. Надеюсь, не надо объяснять, что в школе ты это ни с кем обсуждать не будешь?

— Мам, ну ты за кого меня принимаешь? Я что, глупая совсем, да? А этой чиновничьей жене сколько лет?

— Пятьдесят пять.

— И чего ты ей делала?

— Обычную подтяжку. Пластику век. Ничего особенного.

— Какой у них дом? Дети есть?

Оставшуюся часть пути Юля рассказывала о жизни чиновничьей четы, о сказочных интерьерах, о джакузи с золотыми кранами, о горничных в белых фартучках и мрачных громилах-охранниках, о теннисе и гольфе, о детях, внуках и двух красавицах афганских борзых, о железном характере дамы, которую она оперировала. К огромной стоянке перед торговым центром они подъехали в тот момент, когда Юля описывала прощальный ужин у камина с французским белым вином «Шато Ла Лувьер», с куропатками, подстреленными лично хозяином.

— Я видела, как чернокожий повар в белом крахмальном колпаке жарил их на вертеле, на открытом огне, — говорила Юля, отыскивая удобное место для парковки, — это был классический балет.

— Мам, а почему повар черный? — спросила Шура, когда они вышли из машины.

— Он родился в Марокко. Как ты знаешь, эта страна долго была французской колонией. Он потомственный повар, обучался в Париже, у Максима. И зовут его Макс.

— А чиновница тоже ела куропаток?

— Для нее был приготовлен паштет из их крошечных нежнейших печенок. Она еще не могла жевать.

Как только они оказались внутри, Шура тут же поволокла ее за руку к магазину, где продавались клоунские ботинки, не спеша перемерила все модели, наконец выбрала, тут же надела и, возбужденная, совершенно счастливая, потребовала купить что-нибудь для мамы, потому что иначе будет несправедливо.

— Ну я не знаю, — заныла Юля, — мне так сложно что-то выбрать, мне сначала нравится, потом нет.

— Это беда твоего джинсового поколения, — серьезно заявила Шура и повела ее в какой-то дорогущий дамский бутик, — ты влезла в джинсы в двенадцать лет и до сих пор не можешь из них вылезти.

— Но я уже давно не ношу джинсы. Только дома и на отдыхе, — вяло возразила Юля, наблюдая, как ее дочь уверенно снимает с вешалки сразу несколько брюк и юбок.

— Правильно, мамочка, но для тебя все равно нет одежды удобней и любимей. Все прочее, не джинсовое, кажется тебе немного с чужого плеча, и это мешает тебе по-настоящему стильно одеваться. Так, давай-ка примерь вот это, а я попробую подобрать верх.

В примерочной Юле пришлось провести около сорока минут. Шура приносила очередную шмотку, критически оглядывала маму, требовала снять и надеть другую. Наконец были выбраны свободные брюки из легкой шерсти цвета какао с молоком, к ним идеально подошел шоколадный пуловер рыхлой вязки и предложенный продавщицей с большой скидкой шелковый шейный платок, сочетавший оба цвета.

— Ну видишь, как мы все классно купили? Ты бы одна ни за что не выбрала такие отличные штаны, ты бы даже не нашла их, — заявила Шура, когда они сели за столик маленького кафетерия на верхнем этаже комплекса.

— Да, конечно, ты умница, — кивнула Юля и закурила. Шура отправилась к стойке выбирать еду. Юля расслабленно откинулась на спинку стула и подумала, что все хорошо. Шура, конечно, поверила ее красочной болтовне про чиновничью чету. Жизнь возвращается в свою нормальную колею, больше не придется встречаться с полковником Райским, врать ребенку. Остается только забыть Сергея, забыть совсем и не воображать, как они встретятся просто так, без всякого формального повода, как она наденет эти новые брюки, новый пуловер, как красиво будет развеваться на ветру шелковый шейный платок, как нежно будет смотреть на нее человек без прошлого и будущего.

— Извините, у вас свободно? — мужской голос прозвучал так близко и так неожиданно, что Юля вздрогнула. Прямо над ней стоял юноша лет двадцати. В руке у него дымилась чашка кофе.

— Занято, — сказала Юля и огляделась. Вокруг было достаточно свободных столиков.

— Еще раз извините, вы Юлия Николаевна Тихорецкая?

— Да. В чем дело? — Юля более внимательно взглянула на мальчика. Он выглядел вполне обычно. Черные, коротко остриженные волосы, аккуратные усики, очки в тонкой оправе. Приятное умное лицо. Мешковатые брюки, потертая кожанка.

— Можно, я сяду? — спросил он и ярко, открыто улыбнулся.

— Сначала скажите, кто вы, — Юля улыбнулась точно так же и задвинула стул, на который нацелился вежливый юноша.

Но он не растерялся, уселся на другой стул,

поставил свою чашку и, продолжая улыбаться, произнес:

— Еще раз простите, что беспокою вас. Я корреспондент молодежного музыкального журнала, вот мое удостоверение, — из кармана куртки он вытащил какую-то яркую пластиковую карточку, но Юля даже на нее не взглянула.

— Пожалуйста, пересядьте за соседний столик, — сказала она так жестко, как могла.

— Нет, ну а почему? Вы хотя бы объясните, почему? — голос его стал немного странным, каким-то тягучим, нищенским, и Юля уловила легкий кавказский акцент.

— Я не желаю с вами разговаривать. Не желаю, и все, — она загасила сигарету, поднялась и увидела Шуру, которая направлялась к ней с нагруженным подносом.

— Мам, ты куда?

— За другой столик. — Юля ловко подхватила стакан, готовый упасть с подноса, и повернулась к юноше: — Если вы не отстанете, я позову охрану.

— Нет, ну чего такое, а? Я вас разве обидел? Я только хотел спросить, всего пару вопросов задать. Вы делали операцию певице Анжеле, она звезда, короче, наши читатели интересуются, почему, чисто по-человечески нельзя поговорить?

Он уже поднялся, забыв свой кофе, пошел прямо на них, и как будто рассеялась вокруг него дымка, Юля увидела, что лицо совершенно бандитское, на пальцах массивные перстни, очки с простыми стеклами, без всяких диоптрий, а в миндальных восточных глазах ледяная уголовная наглость.

Шура между тем поставила поднос, тихо бросила: «Мам, я сейчас!» — и исчезла в неизвестном направлении.

— Я вам сказала, уйдите! — повторила Юля, отступая назад, к стене.

Но он продолжал надвигаться, уже молча, и его непристойные черные усики шевелила блатная ухмылка. Юле оставалось только беспомощно опуститься на стул. Она чувствовала себя совершенно раздавленной. Она испугалась этого сопляка и была самой себе противна. Он смотрел ей прямо в глаза, не моргая, и какое-то совершенно новое, незнакомое чутье вдруг подсказало ей, что ни в коем случае нельзя отводить взгляд.

— Вот он! — послышался рядом громкий голос Шуры. — Мама, с тобой все в порядке?

За ней маячили двое в черной форме охранников торгового центра. Прежде чем юношу сдуло, он успел отчетливо и громко прошептать в лицо Юле:

— Сука!

Охранники поспешили за ним, но он растворился в толпе.

— Вот оно, мамочка, бремя славы, — сказала Шура и принялась обгрызать куриное крылышко. — Ешь, остынет, — она пододвинула тарелку, — но какой наглый, это же кошмар! С ним не хотят разговаривать, а он лезет! Интересно, он заранее следил за тобой? Или просто случайно увидел и узнал?

— Как он мог узнать меня? — Юля вытащила сигарету. — Откуда ему известно мое имя?

— Ну имя твое гуляет по желтой прессе, так что ничего странного. Насчет фотографии не знаю. Можно влезть в Интернет и проверить. Честно говоря, после разговора с моими одноклассницами я ждала чего-то подобного. Анжела ведь правда жутко знаменитая, и с ней такое приключение, и ты доктор, который возвращает ей утраченную привлекательность. Заметь, что привлекательность утрачена при весьма загадочных обстоятельствах, и всем кажется, что тебе, доктору, она могла бы раскрыть тайну своей трагедии. Если бы мы жили на Западе, ты бы потом написала книгу и получила миллион долларов. Ты прикоснулась к миру звезд и сама стала звездой. На тебя кидаются журналисты. Слушай, а что ты так напряглась? Ну дала бы ему интервью. Конечно, он противный, на бандитскую шестерку похож, но внешность может быть обманчива. Другое дело, что он наглый...

— Только скальпелем, — еле слышно пробормотала Юля, — и лазерным лучом...

— Что? — Шура отложила недогрызенное крылышко, подалась вперед и так высоко подняла брови, что челка зашевелилась. — Ты бредишь, мамочка? У тебя шок от встречи с желтой прессой?

— К звездному миру я прикоснулась только скальпелем и лазерным лучом. — Юля затянулась в последний раз, погасила сигарету и принялась за еду.

———

ГЛАВА ДВАДЦАТЬ ШЕСТАЯ

Ранним утром, теплым и пасмурным, Сергей впервые выехал за ворота базы на серебристой «капле» и отправился окольными путями на Долгопрудненское кладбище. Он ехал по тихим подмосковным дорогам. Еще не начался дачный сезон, и машин было мало. Он включил музыку, открыл окно.

Серебряная «капля» легко летела по мокрому шоссе. Мимо проплывал лес, еще сонный, застывший в ожидании настоящего летнего тепла. Нищие деревни, осевшие деревянные дома. Бабки в платках и телогрейках торговали домашней снедью под огромными рекламными щитами. Со щитов смотрели надменные томные куклы мужского и женского пола и призывали оттянуться, влиться, сникерснуть. Поселки новых русских с трехэтажными виллами, коммерческие центры с супермаркетами, ресторанами, казино. Храмы, ухоженные, отреставрированные, все до одного действующие. Небольшие деревенские кладбища. На голых черных полях стаи галок. Серые бетонные заборы, обтянутые колючкой. Яркие новенькие бензоколонки, обязательно с небольшим магазином и кафе. Щиты рекламы, словно стада фанерных разукрашенных попрошаек вдоль всех дорог.

Сергей притормозил возле старушек, купил банку молока, два теплых пирожка, с мясом и с капустой, проехал мимо поселка, остановился в безлюдном месте, на обочине, у леса, и, как только замолчал мотор, стал слышен счастливый птичий щебет, шорох проснувшейся хвои, стук капель.

Он вышел из машины, перепрыгнул кювет, прошел несколько шагов по мягкой мокрой земле, снял темные очки и замшевую черную кепку, подышал лесным воздухом. Он, конечно, был точно таким, как на базе, но совершенно другим. Возможно, забор с колючкой меняет состав воздуха. Огороженная территория пахнет иначе, чем открытая. И еда на открытой территории имеет совершенно другой вкус.

Сергей заметил поваленную сосну, вернулся к машине, взял банку с молоком, пирожки. Усевшись на сосновый ствол, он позавтракал. Молоко пахло сеном, хлевом, пирожки были похожи на те, что пекла мама. Он ел и пил не спеша, чувствуя, как с каждым глотком молока вливаются в него силы. Потом выкурил сигарету, сел в машину и до Долгопрудненского кладбища доехал уже без остановок.

Могила была такой неухоженной, замусоренной, что первым делом он отправился к сторожам, попросил веник, мешок, принялся сгребать гнилые прошлогодние листья. Каждую весну, примерно в это же время, они с мамой приезжали сюда и вдвоем делали то же самое, если, конечно, он был в Москве. Потом мама сажала цветы, анютины глазки, выпалывала сорняки, мыла маленький мраморный памятник с овальным портретом отца и золоченой надписью: «Логинов Александр Иванович, 1936—1979».

Теперь рядом с отцовским был мамин портрет, в таком же овале, и свежая гравировка: «Логинова Вера Сергеевна, 1940—1999». Люди, хоронившие маму, выбрали для памятника фотографию, на которой она совсем молодая, моложе отца.

Он погиб где-то в Африке, возможно, в Замбии. Точной даты и места его гибели мама так никогда и не узнала. В июне 1977 г. майор ГРУ Александр Логинов получил звание подполковника и был направлен в составе группы военных советников в столицу Замбии город Лусаку. А в августе 1979 г. пришло официальное извещение. Подполковник Логинов геройски погиб, выполняя свой интернациональный долг, посмертно награжден орденом Боевой славы второй степени. Через три месяца его вдове вручили этот орден в красной коробочке, маленькую медную урну и документы на получение щедрой пожизненной пенсии.

Сергей хорошо помнил отца, правда, давно стерлась грань между его реальными детскими воспоминаниями и мамиными рассказами. Не только служба отца, но и множество мелочей, его окружавших, были тайной, и в детстве тайна эта казалась Сергею прекрасной, возвышенной и благородной. Но когда он погиб и мама сразу постарела лет на десять, очарование тайны значительно поблекло. В четырнадцать лет лютая мужественная романтика больше не казалась ему главным и единственным качеством военной профессии, и это было хорошо, поскольку он собирался стать военным. Он делал свой выбор с открытыми глазами. Розовые очки не обязательно розовые, они бывают и цвета хаки.

Ограда и скамеечка требовали ремонта и свежей краски. Он с удовольствием сделал бы все сам, но времени уже не оставалось. Он отправился к сторожам отдавать веник, договорился, заранее оплатил работу. Когда возвращался назад к могиле, машинально смотрел на памятники вдоль дорожки, читал имена, даты. В глаза ему бросился высокий белоснежный кусок мрамора, украшенный выпуклыми бронзовыми ветками. Странный памятник, дорогой, помпезный. В центре огромная цветная фотография молодой черноволосой девушки.

«Демидова Мария Артуровна, 1965—1985».

Могила была ухоженной, чистой. За высокой

чугунной оградкой ни одного гнилого листа. Рядом с камнем голый рябиновый куст.

«Красивая», — подумал Сергей, невольно задерживая взгляд на лице девушки.

Большие серые глаза смотрели прямо на него. Гладкие черные волосы падали на тонкие ключицы. Солнце пробилось сквозь мягкую хмарь, тени голых рябиновых веток скользнули по фарфору портрета, и на миг показалось, что бледные губы вздрогнули в грустной улыбке.

«Всего двадцать лет. Что же случилось с тобой, Мария Артуровна? Тебя сбила машина? Ты тяжело неизлечимо заболела?» — Сергей прошел уже мимо, но вдруг замер, оглянулся на беломраморную башню, на фарфоровое лицо, словно затылком почувствовал взгляд странно живых серых глаз.

«О, Господи! Демидова. Маша Демидова, единственная дочь высокого чиновника Министерства иностранных дел, студентка третьего курса Института международных отношений. Тебя убили, Мария Артуровна. Тебя убил твой сокурсник Михеев Юрий Павлович. Он любил тебя с первого курса. Однажды напился и заколол из ревности. Причина смерти — ранение острым предметом в сердце. И почему-то теперь, через пятнадцать лет, тень твоего убийцы болтается где-то рядом со мной, совсем близко».

Полковник Райский не стал ждать, когда подготовят распечатку записи, сделанной в машине Юлии Николаевны Тихорецкой, и потребовал срочно принести пленку.

— Там слышимость плохая, — предупредили его, — может, подчистить, убрать помехи?

Каждый раз он слушал записи разговоров доктора Тихорецкой живьем, без предварительной обработки, каждый раз у него не хватало терпения дождаться распечатки.

— Ничего, я разберусь, — говорил он.

Это превратилось в своеобразный ритуал. Полковнику приносили кофе, он закрывался в кабинете, усаживался в кресло, ставил на подлокотник чашку и пепельницу, клал ноги на журнальный стол.

Операция, задуманная Райским, вызывала у него сложные чувства. Идея возникла внезапно, вспыхнула в голове в тот момент, когда рухнуло зеркало в гостиной генерала Герасимова. Вспыхнула так ярко, что показалась гениальной. Позже он успокоился, взвесил все «за» и «против», понял, что план не так уж гениален, многое зависит от случайностей, играть придется практически вслепую, но все-таки решился действовать.

Собственно, ничего нового полковник не придумал. Он пытался поймать Шамиля Исмаилова на живца, на обидчика, с которым знаменитый чеченец хотел свести счеты. За годы безуспешной охоты на террориста полковник достаточно хорошо изучил его слабости. При всей своей дьявольской хитрости и осторожности Исмаилов был человеком горячим, страстным и мстительным. Он никогда ничего не прощал и не забывал. Тот факт, что прямое покушение на Стаса Герасимова не повторилось, только подтверждал версию полковника. Чеченец не раз говорил в интервью западным корреспондентам, что ожидание смерти страшнее самой смерти, неизвестность бывает эффективнее пытки.

Впрочем, когда полковник Райский принимал решение, главную роль играла вовсе не психология бандита. Все было значительно проще и грубее.

Любая операция, проводимая любой спецслужбой мира, требует денег. Пока силовую структуру кормит государство, она живет, процветает и работает на государство. Она остается надежной и монолитной. В чем бы ни заключалась эта работа — в тотальной слежке за рядовыми гражданами, в охоте на инакомыслящих, в воровстве военных и промышленных секретов других государств, в борьбе с уголовниками и террористами, — она выполняется максимально честно и добросовестно.

Спецслужбы — существа разумные. Они не кусают руку, которая их кормит, и не рубят сук, на котором сидят.

В 1991 году из России хлынули финансовые потоки за рубеж. Получился хаос, грязный и сытный, как содержимое свиного корыта. Только глупый и слабый мог остаться в стороне от тотальной денежной обжираловки. Понятно, что среди высших чинов силовых структур слабых и глупых чрезвычайно мало. Силовики с удовольствием ринулись к корыту.

Любой побочный источник финансирования обозначает смерть спецслужбы. Она вроде бы продолжает жить и работать, но как-то совсем иначе. Спецслужба, которую кормит чей-то частный, тайный, к тому же ворованный капитал, похожа на нормальную силовую структуру примерно так же, как зомби на живого человека. Впрочем, мало кто видел настоящего зомби, а если и видел, то вполне мог не узнать.

Полковник Райский долго пытался найти ответ на вопрос: почему террорист Шамиль Исмаилов до сих пор гуляет на свободе и делает что хочет? Почему его ловят, ловят, а поймать не могут? Ответ можно было сформулировать быстро и просто: потому, что все воруют и никому нельзя верить. Но что толку от такой простоты? Она хуже воровства.

Информация утекает из силовой структуры прямо пропорционально количеству негосударственных денег, полученных сотрудниками этой структуры. Через какие именно дыры она утекает, понять сложно. Значит, единственный путь — глухая, герметичная секретность, от своих в том числе. Прежде всего от своих. Но чем дороже операция, тем сложнее обеспечить ее секретность. А задешево Исмаилова не поймаешь.

Деньги, которые готов был заплатить Владимир Марленович за безопасность своего сына, легли в основу очередной операции по отлову чеченского террориста.

Прямой руководитель Райского знал, что полковник взял на себя защиту и охрану единственного сына генерала Герасимова. Это правильно, это благородно. Своих надо защищать. Помочь ветерану, прослужившему в органах сорок лет, — святое дело, тем более если ветеран является председателем совета директоров крупного банка и платит из своего кармана.

Но сомнения постоянно грызли полковника. Он не имел прямых доказательств, что певица Анжела Болдянко была избита Исмаиловым. А если все-таки чеченец изуродовал свою подругу, то вовсе не факт, что к этому имеет отношение Стас Герасимов. У Анжелы и Шамиля могло быть множество собственных проблем. Делом сразу занялась милиция, искали трех случайных грабителей, которые напали на звезду ночью в ее дворе. Ни одного свидетеля не нашлось. Певица продолжала настаивать на этой версии и категорически отрицала свое знакомство с Исмаиловым.

Слухи об их близкой дружбе гуляли по желтой прессе, множество знакомых певицы косвенно подтверждали это, но точно сказать никто не мог. Круг общения звезды был огромен, и в этом кругу Исмаилову ничего не стоило затеряться.

После нападения прошел месяц, певица лежала в Институте челюстно-лицевой хирургии. Ее лечили по самому низкому тарифу. Денег у звезды не оказалось.

— Я все тратила, у меня нет никаких сбережений, — призналась она следователю, — я страшная транжира. Мой образ жизни требует огромных трат. А занять я ни у кого не могу, поскольку теперь не знаю, когда и каким образом мне удастся вернуть долг. Единственный человек, к которому я могла бы обратиться за помощью — мой продюсер Гена Ситников. Но он только что купил новую квартиру и сам сейчас на нулях.

Впрочем, через месяц деньги у певицы появились. Ее продюсер сообщил, что сразу несколько зарубежных фирм перевели ей солидные суммы за проданные диски. Анжела обратилась к хирургам-пластикам, но ей отказывались помочь. Она была слишком известной и скандальной личностью, врачи частных клиник опасались, что в случае неудачи пострадает их репутация, а надежды на удачу было мало.

За певицей велось постоянное наблюдение,

и доктор Тихорецкая, согласившись ее оперировать, автоматически попала в поле зрения полковника Райского. Телефон Юлии Николаевны был тут же поставлен на прослушивание. В ту же ночь прозвучал интересный звонок.

Полковник раз десять прокручивал запись и не верил своим ушам. По его приказу была проведена специальная экспертиза, которая подтвердила, что доктору Тихорецкой в половине четвертого утра звонил Шамиль Исмаилов лично. Зафиксировать, откуда был сделан звонок, не удалось, но все равно Райский готов был петь от счастья.

Он быстро собрал о докторе Тихорецкой все необходимые сведения и решил ввести ее в свою игру.

Когда он говорил Юлии Николаевне, что в данный момент своего хирурга-пластика у него нет, он говорил неправду. Конечно, свои были, работать умели не хуже. Но он не хотел привлекать хирурга из системы, поскольку перестал доверять своим.

Юлия Николаевна никак не могла быть связана с людьми Исмаилова. Она оставалась вне системы и была заинтересована только в собственной безопасности. Райский не ждал от нее неприятных сюрпризов. Наоборот. После ночного звонка Исмаилова у него возникло чувство, что доктор Тихорецкая принесет ему удачу.

Из машины Юлии Николаевны Анжела

дважды говорила по сотовому телефону с Исмаиловым. О первом разговоре полковник узнал от самой Тихорецкой. Несмотря на красивые слова о тайне исповеди Юлия Николаевна все-таки сочла нужным рассказать Райскому о том, как подвозила Анжелу домой.

— Мне кажется, она говорила с человеком, который ее избил. У них довольно близкие отношения. Она назвала ему точную сумму, которая уйдет на лечение. Она была очень возбуждена, кричала на него. Потом опомнилась, прекратила разговор и объяснила мне, что беседовала со своим продюсером. Может, это он ее избил? Впрочем, скорее всего Анжела врала мне. По телефону она ругалась вовсе не с продюсером, а с кем-то другим.

— Почему вы так решили? — спросил Райский, сдерживая улыбку.

— Просто почувствовала по ее голосу, и потом, я ведь не спрашивала ее ни о чем. Я не задала ни одного вопроса, а она зачем-то стала объяснять.

Райский поблагодарил Юлию Николаевну. Ее скромная «Шкода» была тут же оборудована микропередатчиком. Следующая запись ее разговоров с певицей, сначала в палате, потом в машине, заставила Райского скакать от радости, он так сильно захотел поскакать, что отправился на теннисный корт и выиграл трижды.

Теперь он знал совершенно точно, что в первом действии задачи не ошибся. Анжелу изуродовал Исмаилов и сделал это по вине Стаса Герасимова.

В тот же день ему сообщили, что в палате Анжелы обнаружены чужие «жучки». Он обрадовался еще больше и распорядился их не трогать. Пусть чеченец слушает. Пусть напрягается. Проверили машину на всякий случай, но там ничего чужого не нашли. Значит, к Исмаилову попала только часть информации, небольшая, но достаточная, чтобы напрячься.

Конечно, полковнику пришло в голову, что чеченец может всерьез заинтересоваться доктором, с которым так откровенна его подруга, но ему, полковнику, это было только выгодно. Каждый человек, интересующий Исмаилова, становился очередным звеном цепочки, которая вела к счастливому финалу.

Сотрудничество с Юлией Николаевной определенно приносило ему удачу. У нее с Анжелой сложились доверительные отношения. Певица расслаблялась в ее присутствии и была предельно откровенна.

Каждый сотрудник, задействованный в операции Райского, владел строго определенной частью информации, необходимой ему лично для работы. Например, доктор Аванесов и медсестра Катя знали, что майору Логинову меняют внешность, делают новое лицо, но понятия не имели, чье именно это лицо и чем будет заниматься майор, когда выйдет за ворота базы.

Полковник тщательно следил за тем, чтобы количество индивидуальной информации не перетекало в качество, чтобы никто не имел возможности просчитать его план от начала до конца. Но уровень информированности доктора Тихорецкой постепенно превысил все допустимые нормы. Юлия Николаевна, сама того не желая, уже знала практически все, включая имя объекта «А».

Полковник не ошибся, введя в свою игру человека со стороны. Но не учел собственных слабостей. За многие годы работы в органах он привык иметь дело с профессионалами. Психология профессионала была для него прозрачна. Люди вне структуры постепенно превратились в инопланетян. Он не мог просчитать заранее, как поступит доктор Тихорецкая и насколько опасна ее информированность. Профессионал взвешивает каждое слово. Чужаки болтают, не думая.

Машина Юлии Николаевны до сих пор не была снята с прослушивания. За домом установлено открытое круглосуточное наблюдение. Такое открытое, что даже Шура заметила черный «Ауди».

Сквозь уличный шум и гул мотора голоса звучали смутно. Но полковник разбирал речь сквозь любые помехи, как графолог разбирает любой, самый непонятный почерк.

Когда он услышал, как Шура спрашивает маму о нем, о длинном худом человеке в очках, по губам его пробежала слабая улыбка, и тут же лицо напряглось. Ответ Юлии Николаевны он прокрутил дважды. А затем с удовольствием прослушал рассказ о чиновничьей чете и черном поворе из Марокко.

———

ГЛАВА ДВАДЦАТЬ СЕДЬМАЯ

В последний вечер доктор Аванесов устроил для Сергея маленький прощальный ужин с шашлыками. Перед докторским коттеджем на лужайке стоял настоящий медный мангал. Гамлет Рубенович повязал женский фартук в горошек, нацепил поварской колпак, размахивал фанеркой, раздувая угли, сыпал прибаутками и анекдотами. Медсестра Катя сидела на пеньке, зябко кутаясь в вязаную черную шаль с кистями, потягивала горячее красное вино и молчала.

— Жалко, нет с нами сейчас Юлии, — громко заявил доктор, подливая Сергею вино, — давайте выпьем за ее здоровье, она хороший человек и хирург отличный.

Сергей почувствовал, как что-то легонько, щекотно сжалось внутри, между ребрами.

— Таким хорошим почему-то всегда не везет в личной жизни, — подала голос Катя, впервые за этот вечер.

— Вот и выпьем за то, чтобы Юле повезло! — Аванесов чокнулся с Сергеем, потом с Катей и тихо спросил: — Ты все еще злишься на нас, Сережа?

— Да что вы, Гамлет Рубенович, я вам очень благодарен, — сухо кашлянув, ответил Сергей и отхлебнул вина, — и вам и Кате спасибо за все.

— На здоровье, дорогой. Живи долго. Ноги береги, в них много вложено труда и искусства. И лицо свое новое тоже береги. Поверь мне, твое лицо — хорошая работа, редко бывает, чтобы такая сложная пластика не оставляла следов и результат выглядел совершенно естественно. У полковника Райского всегда было чутье на отличных специалистов. Я много видел хирургов-пластиков, Юля лучшая. Она сделала все правильно, красиво, тебе будет с этим лицом легко жить. Ты только полюби его всей душой, как будто оно твое родное. Когда придешь к Юле рубцы убирать, передай ей от нас большой привет.

Шашлык получился отменный, потом пили кофе и коньяк. Когда прощались, Сергею стало грустно. Он вдруг понял, что прощается с Катей и Гамлетом Рубеновичем навсегда. Оглянувшись из темноты аллеи, он увидел, как они стоят на крыльце докторского коттеджа, обнявшись.

Последнюю ночь он не спал, просматривал копию старого уголовного дела. Он знал, что потом времени на это уже не будет. Убийство

Демидовой Марии Артуровны и личность человека, обвиненного в этом убийстве, интересовали его все больше.

Свидетельские показания читались как главы романа. Маша Демидова представала в них настоящей роковой героиней. Когда она училась в десятом классе, из-за нее пытался покончить с собой мальчик-одноклассник. К счастью, спасли. В институте вокруг нее постоянно бушевали страсти. Была какая-то темная история с молодым преподавателем физкультуры. Подруга убитой поведала следователю, что Маша так вскружила голову физкультурнику, что бедняга бросил жену с маленьким ребенком, а жена поспешила накатать слезное письмо в горком партии. Последовало закрытое заседание партбюро института, и физкультурнику пришлось уволиться из престижного вуза по собственному желанию.

Маша умела сводить с ума, доводить человека до белого каления, а потом тихо отступала в сторонку и наблюдала, как очередной влюбленный делает глупости.

О том, что Михеев был в нее влюблен с первого курса, знали все, и многие слышали, как накануне убийства между ними произошел резкий разговор, в котором Михеев угрожал, что убьет Демидову. Он схватил ее за плечи, стал трясти, повторяя: «Машка, я тебя когда-нибудь убью, честное слово!» На что она ответила: «Ты,

Михеев, глупая обезьяна. Пусти, больно!» Он отпустил. Она рассмеялась ему в лицо.

Все происходило в коридоре перед дверью аудитории, где шел зачет. Была летняя сессия. Дверь открылась, из аудитории вышел Герасимов. Маша подхватила его под руку, спросила, как он сдал зачет, и сказала: пойдем в «Гамбринус», я есть хочу.

«Гамбринусом» студенты называли маленькое подвальное кафе неподалеку от института.

Герасимов обнял ее за плечи, она отстранилась, засмеялась и его тоже назвала глупой обезьяной. Так она величала всех молодых людей, проявлявших к ней интерес. Она вообще вела себя высокомерно, могла унизить публично какого-нибудь нежного воздыхателя. Но на нее не обижались, наоборот, многим нравилось в ней именно это.

В документах имя Станислава Герасимова упоминалось еще несколько раз. Кто-то из свидетелей утверждал, будто Михеев приревновал Машу именно к Герасимову, кто-то называл другие имена.

После окончания летней сессии компания из десяти человек отправилась на дачу к Демидовой. Родители ее в это время находились за границей. Михеев и Герасимов были в числе приглашенных, однако Герасимов не поехал. Он простудился и лежал дома с высокой температурой.

103

Поселок был старый, не ведомственный. Дача досталась родителям Демидовой по наследству.

Вечером, часов в одиннадцать, три девочки и три мальчика, в том числе Демидова и Михеев, отправились купаться на озеро. Оно находилось в трех километрах от дачи, по другую сторону железной дороги.

Маша и Юра обогнали остальных, о чем они говорили по пути, никто не слышал. Когда пришли, Михеев заявил, что собирается переплыть озеро и вернуться обратно, разделся и бросился в воду. Ширина озера была около восьмисот метров. На противоположном берегу росли какие-то особенные лилии, он пообещал сорвать одну и принести Маше. Вместе с ним прыгнули в воду еще двое, мальчик и девочка. Остальные трое, в том числе Маша, остались сидеть на берегу.

Ночь была ясная, лунная и очень теплая.

Когда Михеев доплыл до середины, Маша заявила, что замерзла, хочет спать и отправляется назад, на дачу. Ее уговаривали подождать, но она ушла.

Михеев доплыл до противоположного берега, вернулся, держа во рту стебель огромного белого цветка. Узнав, что Маша ушла, выбросил лилию, оделся и побежал за ней. Обнаружив, что на дачу она не приходила, он отправился ее искать, перед этим выпив залпом стакан водки и не закусив. Свидетели утверждали, что он находился в возбужденном состоянии и повторял: найду и убью, придушу своими руками, не могу больше!

Примерно к часу ночи с озера вернулись остальные, решили не ждать Машу и Михеева, все проголодались, а эти двое пусть себе выясняют отношения.

В половине третьего Михеев влетел в дом с криком: «Надо «скорую»! Машка!» На даче был телефон. Ничего никому не объясняя, Михеев долго крутил диск и не мог понять, что звонить надо через восьмерку. Все присутствующие увидели, что его руки, лицо и рубашка в крови. Кто-то догадался правильно набрать номер. Трубка оставалась у Михеева. Он сказал: «Приезжайте срочно! Человек умирает!», назвал адрес дачи, потом свою фамилию. Диспетчер стала задавать ему вопросы, в ответ он крикнул: «Некогда, мать вашу! Она лежит на стройке!», затем швырнул трубку и вылетел вон.

Кто-то последовал за ним, кто-то остался, чтобы дождаться «скорую».

В километре от дачного поселка, в березовой роще, строился дом отдыха. Через рощу проходил короткий путь от станции до поселка, и забор постоянно ломали. Стройка была чем-то вроде проходного двора. Ее пересекала безопасная, освещенная прожектором тропинка, которую протоптали дачники, не желавшие делать крюк.

В ярком свете прожектора подоспевшие мальчики и девочки увидели, что Маша лежит в неглубоком котловане, на косой бетонной плите, лицом вниз. На ней были шорты и легкий светлый свитерок. Он потемнел от крови. Из спины ее торчало что-то, и сначала решили, что это рукоять ножа. Михеев сидел возле нее на коленях и руками поддерживал ее голову. Некоторое время к ним не решались подойти. Наконец одна из девочек, у которой мама была врачом, осторожно спустилась в котлован, присела рядом с Михеевым, взяла руку Маши, попыталась нащупать пульс, но ужасно закричала и вернулась к остальным. Именно эта девочка рассказала потом, что Маша была пришпилена к плите, как бабочка булавкой. Кусок арматуры, торчавший из бетона, пронзил ее насквозь.

«Скорая» появилась только через час. Врач констатировал смерть. Вслед за «скорой» приехала милиция. После короткого допроса свидетелей происшествие было квалифицировано как убийство, Михеев Юрий Павлович был задержан как подозреваемый. И на первом допросе, и на всех последующих он вел себя глупо. Грубил следователю, на вопрос, какие отношения у него были с убитой, отвечал: не ваше собачье дело.

С л е д о в а т е л ь. Вы угрожали Демидовой Марии Артуровне, что убьете ее?

М и х е е в. Нет. Никогда.

С л е д о в а т е л ь. «Машка, я тебя когда-нибудь убью, честное слово! Убью, придушу своими руками!» Это ваши слова?

М и х е е в. Мои.

С л е д о в а т е л ь. Ну вот, а говорите, не угрожали.

М и х е е в. Да вы что, в самом деле! Я ее любил, я жить без нее не мог! Мы собирались пожениться.

С л е д о в а т е л ь. Значит, отношения у вас с убитой были близкие.

М и х е е в. Идите к черту! Бред какой-то!

Светало. У Сергея от долгого сидения над делом пятнадцатилетней давности ныла шея и начали слипаться глаза. Пепельница была полна окурками сигарет «Парламент-лайт». Он почти привык к ним за эту ночь. Он смотрел на фотографии, вклеенные в дело. Это была ксерокопия, и фотографии смазались. Девочка на бетонной плите, правда, напоминала бабочку, приколотую булавкой к шершавому серому листу.

«Зачем мне это? — думал Сергей, морщась и растирая затылок. — Мое дело — Шамиль Исмаилов».

* * *

Боль была такая, что у Владимира Марленовича перехватило дыхание. Он открыл глаза и уставился в темноту. Мягкие часы из музея

Дали светились призрачным светом. Цифры и стрелки сияли ярко и холодно, как звезды, которые собрались падать, но раздумали и застыли, прочертив короткие вертикальные линии намеченного пути.

Была полночь. Всего лишь полночь. Раньше он в это время суток даже не собирался ложиться, но теперь отправлялся в постель не позднее десяти, поскольку просто не оставалось сил, чтобы продолжать бодрствовать.

Он отлично помнил, как принял перед сном свое лекарство, две таблетки. Дозы должно было хватить до шести утра. Но живот разрывался болью, причем она была какой-то новой породы. Боль-мутант, мощное ледяное существо, покрытое влажной крупной чешуей, вроде бы металлической, но живой, способной шевелиться, поскольку каждая пластина причиняла отдельное страдание. Тысячи пластин, тысячи оттенков страдания.

Владимир Марленович попытался встать, но чешуйчатая гадина не дала. Стоило совсем немного приподняться на подушке, и боль пронзила с такой силой, что он закричал. Гадина внутри него откликнулась, задрала вверх то, что должно быть у нее мордой, и издала причудливый долгий звук, похожий одновременно и на вой ночного ветра, и на рев реактивного двигателя. Краешком уплывающего сознания генерал понял, что гадина внутри него воет, обращаясь во мрак, из коего явилась и куда уйдет уже вместе с ним, с генералом.

Владимир Марленович закричал еще раз, и вой повторился. Он был не менее тосклив и безнадежен, чем его крик.

«Если я умираю, то скорей, пожалуйста, скорей, не могу терпеть», — то ли прошептал, то ли подумал генерал и услышал тяжелые шаги по лестнице.

Они с Натальей Марковной давно уже не спали вместе. Их общая спальня находилась внизу, генеральша спала там, а эта, верхняя, с полукруглым окном, считалась гостевой. Сначала генерал уходил сюда просто почитать, потом переселился совсем и даже дверь запирал на ночь, так ему было спокойнее.

Тихий стук и голос жены донеслись до него издалека, он не разобрал, что она там, за дверью, говорила, но ему стало немного легче. Он не один, не наедине с таинственной беспощадной тварью внутри него. Сейчас войдет Наташа, он попросит лекарство, сжует сразу четыре таблетки, и гадина уснет на час, на десять минут, не важно. Лишь бы хоть немного отдохнуть от боли.

Но Наташа все не входила. Стук повторился, уже громче, и генерал услышал, как она кричит звонко и тревожно:

— Володя, открой!

Он вспомнил, что дверь заперта. Встать и

открыть было так же невозможно, как дойти до ванной и достать с полки банку с лекарством.

— Володя, ты слышишь меня? Ответь, пожалуйста!

Ее голос дрожал. Она плакала. Он не выносил ее слез. Именно поэтому он пока не сказал ей, чем болен на самом деле. Он знал, что она заплачет, тихо, горько, а потом, успокоившись, будет говорить и думать только об этом, и жизнь его кончится значительно раньше, чем он умрет.

Каждый взгляд, каждый вздох она посвятит его страшной неизлечимой болезни. Она самоотверженно и честно взвалит на себя заботу о нем, немощном. И тогда у него не останется сил бороться. Болеют слабые. Сильный человек гонит из себя болезнь, сильный может выгнать даже рак. Нельзя жалеть себя и принимать чужую жалость. На жалости, как на жирном черноземе, болезнь растет до невероятных размеров, становится больше самого человека и сжирает его. Так говорил командир учебного десантного подразделения больше сорока лет назад. Курсант Володя Герасимов учился прыгать с парашютом и проходить многие километры по тайге, по болотам, по пустыне, побеждать холод, зной, жажду, голод, сон, страх, боль, жалость.

«Когда тебя бьют или пытают, если ты не можешь сопротивляться, прими боль с радостью. Ты должен получать от нее удовольствие,

110

ты должен страстно желать, чтобы стало еще больней, чтобы боль разгоралась все ярче, как будто ты замерз, а она — костер, который тебя греет. Только тогда ты выдержишь и не сломаешься».

Так учили на одном из спецкурсов в Высшей школе КГБ. Слушатель Герасимов учился допрашивать и не отвечать на вопросы. Причинять боль и терпеть боль. Эта часть оставалась теорией. Слушателям объясняли, какие точки на теле человека наиболее болезненны, и показывали эти точки на гипсовых макетах. Учили бить больно, но без следов, и чтобы допрашиваемый не отключался от болевого шока, ибо тогда будет потеряно время.

Преподаватель, подполковник пятидесяти двух лет, маленький серый человек с ленинской лысиной и ласковой кличкой Чижик, еще совсем недавно, при Берии, работал следователем и умел выбивать любые показания. Многих его коллег к концу пятидесятых отправили на пенсию, но Чижик остался в органах, правда, перешел на преподавательскую работу. Неизвестно, довелось ли ему испытать настоящую боль на собственной шкуре, но в том, что он был большим специалистом по человеческим страданиям, никто не сомневался.

Владимира Марленовича никогда не пытали, но однажды в юности очень сильно били.

В знаменитой школе 101, филиале Высшей

школы КГБ, учебная группа отрабатывала приемы наружного наблюдения. Разбивались на две подгруппы. Одни следили, стараясь оставаться незаметными, другие пытались оторваться. В тот злосчастный день Володя Герасимов уходил от «хвостов». Ему надо было оторваться, незаметно подобраться к своему тайнику и достать оттуда контейнер с секретом. Он плутал по Москве весь день, менял маршруты, выпрыгивал из закрывающихся дверей троллейбусов и вагонов метро, нырял в проходные дворы. Оторваться удалось только к полуночи.

Был январь, в Москве стояли лютые морозы. Тайник он устроил заранее и место выбрал отличное. На Нижней Масловке, неподалеку от стадиона «Динамо», вилась цепь проходных дворов, жилые дома перемежались с нежилыми, деревянными, назначенными на снос. Некоторые подъезды оставались открытыми, и внутри было настоящее шпионское раздолье. Разломанные лестницы, разрушенные стены квартир, клочья обоев, обломки мебели, рваные вонючие матрацы, дыры, отверстия, щели. Тайников такое множество, что только выбирай, прячь и не забудь, куда спрятал. Даже если залезет кто-то другой — алкаши, бродяги, дети, собаки, кошки, то почти невероятно, чтобы наткнулись на твой тайник. А если вдруг тебя выследит своя наружка, то ты успеешь расстегнуть штаны. Спокойно, ребята. Я зашел отлить.

Володя дважды прошмыгнул мимо заветного трехэтажного дома, проверил, убедился, что вокруг ни души, и нырнул в подъезд. Несмотря на мороз воняло там нестерпимо. Он чиркнул спичкой, осветил на несколько секунд косую деревянную лестницу, покрытую желтой вонючей наледью. Он заранее, при дневном свете, изучил здесь каждый квадратный сантиметр пространства, чтобы потом, когда придет за контейнером ночью, не ошибиться.

Тайник он устроил в квартире на втором этаже. Там от стены отстал большой плотный лоскут обоев, и за ним была удобная ниша, прикрытая куском штукатурки. Не спеша миновал два лестничных пролета, зашел в нужную комнату, еще раз чиркнул спичкой, осветил тайник, достал контейнер. Это была коробка от папирос «Герцеговина-флор». Внутри для полной достоверности лежал рулончик микропленки. Володя сунул коробку в карман и вдруг отчетливо услышал шаги и голоса.

Кто-то поднимался по лестнице. Володя решил, что это его родные «хвосты», и попытался спрятаться, рванул на кухню, там имелся чулан и оставалась надежда, что не найдут. Но по дороге он налетел на остов железной кровати. Внизу услышали грохот, поспешили наверх. Володя успел войти в бывшую коммунальную кухню. В оконную дыру светила полная луна. Это были вовсе не свои, не четверо наружников, а какие-то незнакомые люди. Из их пастей валил крутой перегарный пар. Они увидели его сразу, налетели без всяких слов и объяснений, повалили на пол и принялись избивать, весело матерясь.

Их было шестеро, он один. У них имелись кастеты. У него только несколько медных пятаков и картонная коробка с микропленкой. Он успел крикнуть довольно громко, но не надеялся, что кто-нибудь услышит. Его били кастетами, ногами, по животу, по лицу, по спине. В какой-то момент он понял, что они забьют его до смерти.

Между тем ребята из наружки успели заметить, как он прошмыгнул в проходной двор и там исчез, однако не поняли, в какой именно дом вошел. Они стали ждать его во дворе, наблюдая за несколькими подъездами. Они видели, как в ободранную дверь вошла компания из шести человек, но их это не касалось. Им нужен был «объект», то есть Володя. Им нужны были хорошие оценки.

Ожидание затянулось. Наружка замерзла и разозлилась. А Володю продолжали бить. Чувствуя, что теряет сознание, он крикнул еще раз, отчаянно, из последних сил.

Сначала этот крик показался ребятам из наружки чем-то вроде галлюцинации, воя ветра или взвизга сумасшедшего ночного кота. Потом кто-то из них сообразил, что крик раздался из того самого дома, куда вошла компания. И на всякий случай они решили этот дом потихоньку проверить. Просто так, потому что надоело мерзнуть и не хотелось сдаваться. Уже в подъезде услышали характерные звуки и поняли, что наверху кого-то дубасят. Бесшумно поднявшись на второй этаж и заглянув в бывшую коммунальную кухню, не сразу догадались, что бьют их однокашника, что на загаженном полу корчится их вожделенный «объект» Володя Герасимов. Во-первых, было темно, во-вторых, такого поворота событий они совершенно не ожидали. Но не растерялись.

Минут через двадцать шестеро валялись на полу, мордами вниз, пристегнутые друг к другу тремя парами наручников. Это оказались подростки из ремесленного училища, которое находилось на соседней улице. Они были пьяны и плохо соображали, что происходит. В дом они зашли потому, что приходили туда постоянно. Пили, закусывали, общались, иногда притаскивали девиц. Этой ночью зашли за бутылкой «Столичной» водки, в которой, по их расчетам, еще что-то осталось после позавчерашней гульбы. Бить Володю стали потому, что решили, будто человек пришел за их бутылкой, а в общем просто так, потому что было холодно и скверно на душе.

Еще через двадцать минут приехали «скорая» и черный «воронок» с решеткой на окошке.

Оказавшись в фургоне «скорой», Володя пришел в себя, понял, что теперь уж его не убьют, и страх смерти сменился оглушительной болью. Болело все, каждая косточка, каждая мышца, и оказалось, что наука терпения, преподанная бывшим следователем Чижиком, не стоит ни гроша. Володя даже не вспомнил, как его учили радоваться боли. Он ее ненавидел и больше всего на свете хотел, чтобы она прошла. Однако он терпел и не орал, не стонал — просто потому, что было стыдно. Потом, в больнице, к нему заглянул врач, который оказывал первую помощь в фургоне, и сказал, что он молодец, вел себя как настоящий мужик, и если сумел вытерпеть ту боль, то теперь ему никакая не страшна.

Через сорок с лишним лет, лежа в гостевой спальне на своей греческой вилле, генерал Владимир Марленович Герасимов попытался сравнить ту боль, которую никогда не забывал, и эту, нынешнюю. Та боль была прекрасна, она вела его из смерти в жизнь, а эта совсем наоборот. Тогда важно было терпеть, а теперь все равно.

Наталья Марковна разбудила Николая, он аккуратно взломал дверь. Генерал попросил лекарство, сумел объяснить, где спрятана баночка, сжевал четыре капсулы, глотнул воды. У него хватило сил уговорить жену не вызывать «скорую», подождать до утра. После капсул он принял еще две таблетки сильного снотворного и уснул.

Наталья Марковна спустилась вниз, в библиотеку, взяла с полки том медицинской энциклопедии, долго его листала трясущимися руками и наконец отыскала латинское название лекарства, которое принял Володя и о котором она ничего не знала. Прочитав, что это сильнодействующий обезболивающий препарат, применяющийся при онкологических заболеваниях, она не заплакала. Она просто просидела до утра в библиотеке в кресле-качалке с тяжелым томом на коленях. Глаза ее были сухи и широко открыты. К рассвету она провалилась в короткий обморочный сон, а проснувшись, позвонила знакомому греку, который отлично говорил по-русски, и попросила привезти к ним в дом самого лучшего онколога, какой есть на этом маленьком острове, как можно скорее, и за любые деньги.

———

ГЛАВА ДВАДЦАТЬ ВОСЬМАЯ

Стальные ворота с тихим скрежетом закрылись. Проселочная дорога шла сквозь рощу. Розовое рассветное солнце мелькало за березовыми стволами. Тело казалось легким, вялым и немного чужим после бессонной ночи. Серебристая «капля» свернула на шоссе, ведущее к Москве. Сергей прибавил скорость. Прежде чем окончательно превратиться в Станислава Герасимова, ему надо было несколько часов побродить по Москве, в последний раз побыть самим собой.

Ему казалось, что он не видел родного города лет десять. На самом деле прошло всего лишь семь месяцев. Он вылетел в Грозный в ноябре. С ноября по февраль он знал совершенно точно, что вернуться в Москву ему не суждено. Сейчас было начало мая. Он вернулся. Впрочем, нет, не он. Другой человек. Странное существо с опытом командира спецназа ГРУ и биографией новорожденного младенца. Рассерженный одиночка, у которого в памяти столько ужаса, что уже ничего не страшно. Еще потому не страшно, что одиночка. Если погибнет, плакать некому.

Около одиннадцати утра Сергей пересек кольцевую дорогу, заехал на бензоколонку, заправился, выпил жидкого кофе и съел бутерброд с сыром. Сидя за столиком в крошечном открытом кофе, вспомнил, что следует включить мобильник. Однако не стал этого делать. На Стаса Герасимова обрушатся звонки, и придется сразу входить в роль. У Стаса десятки знакомых. У Сергея никого, кроме полковника Райского, в этом городе нет. Юлия Николаевна не в счет. О ней лучше забыть. Сейчас это сложно, но пройдет время, и теплый пульсирующий комок за ребрами постепенно рассосется. Когда он явится к ней убирать рубцы, уже ничего внутри не дрогнет. Они вежливо попрощаются навсегда.

Райский не сказал ему, где находится Клиника эстетической хирургии, не дал никаких телефонов.

— Зачем вам это? Всему свое время. Не стоит забивать голову лишней информацией. Когда надо будет убирать рубцы, я сообщу вам, как связаться с доктором.

— А если какие-нибудь осложнения? — промямлил Сергей, чувствуя себя полнейшим идиотом.

— Позвоните мне.

Оба прекрасно понимали, что никаких осложнений уже не будет, и если Сергей попытается связаться через Райского с красавицей доктором, то исключительно в личных целях.

«Все. Хватит. Я о ней забыл».

У площади трех вокзалов серебристая «капля» застряла в пробке. Сергей щекой почувствовал пристальный взгляд. Рядом стоял старый облезлый «Москвич». За рулем сидел дед с белым пухом на лысине. Дешевые очки в желтой пластмассовой оправе. Дужка замотана грязным медицинским пластырем. Сквозь линзы глаза казались выпуклыми, огромными. На линялой ковбойке орденские планки. Дед воевал и желал, чтобы все знали об этом. Дед смотрел на пижона в серебряной игрушечной машинке так внимательно, что щекам стало горячо и зачесались рубцы.

«Что не так? Что? — мысленно спросил у деда Сергей. — Может, моя кепка не по сезону? Действительно, почему я сижу в машине в замшевой кепке в мае месяце?»

Он снял ее и бросил на сиденье. Выражение огромных выпуклых глаз деда не изменилось.

«Что теперь не так? Слушай, дед, а может, мы с тобой знакомы? Исключено. Вряд ли у Герасимова есть такие знакомые. Стас когда-нибудь тебе случайно сделал гадость? Ну в таком случае извини», — Сергей кивнул и улыбнулся старику.

В ответ старик поджал губы и просигналил так выразительно, словно его раздолбанный «Москвич» был живым и у него началась истерика.

Пробка всех утомила, истерика вещь заразная. В тот же миг завизжала и загудела вся площадь. Машины перекликались, как собаки ночью в деревне. Деду надоело наконец жечь взглядом пижона в серебристом «Фольксвагене». Он сплюнул в открытое окно и отвернулся.

«Ничего личного, — догадался Сергей, — просто я богатый, а он бедный. Он воевал и к старости имеет только этот свой раздолбанный «Москвич». Он знает, что моя игрушка стоит около двухсот его ветеранских пенсий. Вот и все. Ничего личного».

Когда пробка рассосалась, Сергей отыскал платную стоянку, оставил машину и дальше отправился пешком. Московский майский полдень обрушился на него мощной океанской волной и понес, как щепку, неведомо куда.

В музыкальном ларьке у метро крутили диск. Хриплый блатной голос орал на всю площадь: «Сколько я зарезал, сколько перерезал, сколько милых душ я загубил!» И тут же, как по команде, возникло в бензиновом мареве лицо капитана Громова. Вася сошел с ума в плену, и песня эта была вроде символа его безумия. Вася тоже родился в Москве и никогда не вернется. Его родители живы. У него жена Ольга и двое мальчиков.

Сергей надеялся, что, оказавшись в городе, среди нормальных людей, в переулках, знакомых с детства, он сумеет по-настоящему опомниться и прийти в себя. Но получилось совсем наоборот. Ему следовало просто отдохнуть, но он все шел и боялся остановиться. Старая блатная песня неслась за ним, хотя ларек остался далеко позади.

Обычная городская жизнь вдруг стала казаться ему кощунственной, как смех на похоронах. Он чувствовал, что взгляд его стал таким же злым, как у деда с орденскими планками. Хорошо, что глаза его были закрыты темными очками и злоба пряталась, не увеличивалась вдвое прозрачными выпуклыми линзами.

Люди деловито сновали по магазинам, сидели в открытых кафе, ели, пили, болтали, читали газеты, просто шлялись без всякой цели. Он спрашивал себя: а что, они должны носить траур и рыдать с утра до вечера? Они ничего не должны. В том-то и дело, что никто никому ничего не должен.

Город жил своей нормальной жизнью, изо всех сил старался стать настоящей европейской столицей. Но не получалось. Было грязно. Не хватало уличных урн. Урна — отличное место для взрывного устройства. Бросил пакет, и привет. Никто ничего не заметит, не заподозрит.

Четвертый час он бесцельно бродил по городу, спускался в метро, проезжал несколько остановок, выходил наугад, сворачивал с площадей в переулки. Еще ни разу он не присел на лавочку, чтобы передохнуть. По-хорошему, давно пора было купить себе бутылку минеральной воды, какой-нибудь бутерброд, расположиться в одном из уютных двориков, поесть, попить, выкурить сигарету.

В очередной раз вынырнув из метро и оглядевшись, Сергей замер. Это был проспект Мира. Район его детства. Он наконец купил бутылку воды, сосиску в булке и приземлился во дворе на Трифоновской, напротив того места, где стоял когда-то его дом. Теперь там была огороженная автостоянка, за ней возвышалась шестнадцатиэтажная бело-голубая башня с лоджиями. Довоенные дома, окружавшие двор, вроде бы похорошели, помолодели, изменился цвет фасадов. В подъездах стояли железные двери с домофонами. Тополя, которые каждое лето покрывали двор толстым слоем пуха, были давно срублены, пни выкорчевали, все залили асфальтом. Практически ничего не осталось. Он отхлебнул воды из пластиковой бутылки, пожевал остывшую сосиску и попытался мысленно расставить по местам все, как было двадцать пять лет назад.

Двухэтажный деревянный домик из некрашеных бревен, серебряных от старости. Головки золотых шаров за маленькими окнами. Клумба, обложенная по кругу кирпичами, которые дворник Никитич аккуратно вбивал заново каждую весну, наискосок, чтобы получались зубчики, и отходил поглядеть, ровно ли. Никаких цветов там никогда не сажали, но сыпали черную жирную землю. Вместо цветка из середины клумбы торчал коротконогий худенький Ильич, покрытый золотой краской и похожий на фигурную шоколадку в фольге. Дальше — голубятня, приподнятый над землей полупрозрачный куб, белый от помета, наполненный хлопаньем крыльев и утробным воркованием, которое напоминало об ангине и вызывало во рту жуткий вкус теплого раствора соды.

Голубей разводил сумрачный толстый дед по фамилии Ведерко. С марта по октябрь каждое утро они с дворником Никитичем оглушали окрестности восхитительным матерным дуэтом. Голуби гадили на Ильича, и дворник грозил поджечь голубятню. Но когда деда Ведерку разбил паралич, Никитич сам лично сыпал птицам корм и счищал корки сухого помета с железной сетки.

Сергей глотнул еще воды, скомкал пакет от сосиски, огляделся, куда бы выкинуть, но урны не нашел и сунул в карман. Во дворе было пусто. Издали доносился рев проспекта. Четкая картинка таяла, оставляя его наедине с чужим двором, чужим миром. Он закурил еще одну сигарету и с раздражением понял, что просто убивает время.

Оно действительно стало медленно умирать. Оно съежилось и потемнело, как обожженная кожа.

Нельзя все потерять и ничего не приобрести. Так не бывает. Природа не терпит пустот. Хватит сидеть, утопая в дурацких, никому не нужных чувствах. Пора возвращаться к машине, ехать в квартиру Стаса Герасимова.

У метро ему бросился в глаза рекламный щит. «Клиника эстетической хирургии». Стрелка внизу, на стрелке адрес. Вот здесь, за углом, за поворотом, всего в сотне метров. В Москве десятки таких клиник. Он не сразу понял, почему стоит и смотрит на этот щит вместо того, чтобы нырнуть в метро.

Ветер сдул легкое облако с солнечного диска, горячие лучи скользнули по лицу.

«Старайтесь беречься прямых солнечных лучей... Через месяц я уберу рубцы... в клинике, в моем кабинете... в центре Москвы, неподалеку от метро «Проспект Мира».

Вот почему он не сразу вспомнил. Это была их последняя встреча, последний разговор, и он страшно волновался тогда, пытался придумать, как ее задержать еще на несколько минут.

Перед стеклянным зданием клиники была автостоянка. Он поискал глазами вишневую «Шкоду», не нашел и почти успокоился. Но вместо того чтобы развернуться и идти к метро, направился к мраморному крыльцу. Стеклянные двери разъехались перед ним. Он оказался в просторном вестибюле. По обе стороны сидели охранники в камуфляже. Оба скользнули взглядами по его лицу, вероятно, заметили шрамы и ни о чем не стали спрашивать.

Прямо напротив входа он увидел огромное табло, похожее на расписание рейсов в аэропорту. Там были фамилии врачей, номера кабинетов, дни и часы приемов.

«Тихорецкая Юлия Николаевна, хирург, каб. 32...» Она принимала во все будние дни, кроме среды. А сегодня была как раз среда.

* * *

«О кипрском счете Шамиль пока ничего не знает, — думала Анжела, сидя в пустой холодной ванне и морщась от озноба, — но это пока. Рано или поздно узнает. И что? Опять разобьет физиономию, на этот раз уже окончательно? Но тогда я его сдам. Правда, пока я плохо представляю себе, каким образом я это сделаю, но попытаться могу. Этот счет мне поможет. Там у него огромная сумма, он не сумеет просто плюнуть на такие деньги. Я сдам его, а он меня. Мы никогда это не обсуждали, но оба отлично понимаем без всяких слов. Впрочем, если он изуродует меня навсегда, я все равно не стану жить, так что пусть сдает. Мне будет уже без разницы!»

Домработница Милка осторожно намыливала ей спину губкой и поливала тоненькой струйкой из душа, стараясь не намочить повязку.

— Сделай погорячей, холодно, — сердито рявкнула Анжела.

— Нельзя. Пойдет пар.

— О Господи, как же мне все это надоело! Хватит. Давай полотенце.

Милка бережно завернула ее в махровую простыню.

— Сейчас согреешься.

Но согреться Анжела не смогла даже в постели, под двумя одеялами. Чем яснее вспоминала она подробности своих разговоров с доктором Тихорецкой, тем беспощаднее колотил ее озноб.

«Идиотка... я же ей практически все рассказала. Зачем? Я так классно вела себя с ментами, со следователем, с теткой, которая приходила в больницу под видом врача. А тут сорвалась, как последняя кретинка. Спрашивается, кто меня тянул за язык? Как будто я забыла, какая у Шамки интуиция?! Он по запаху, за тысячу километров, может угадать человека, который владеет опасной для него информацией. Когда он в самом начале позвонил Юлии Николаевне домой в половине четвертого утра, он не ей угрожал, а мне. У него не возникало никаких опасений насчет следователей, ментов, чекистов. Но он заранее знал, что я раскисну наедине с доктором, который согласится мне помочь».

Анжела давно заметила это свое дурацкое свойство: пока на нее давили, пока с ней хитрили, она держалась молодцом. Но стоило погладить ее по головке, просто пожалеть, и она теряла бдительность. А то, что понимала о самой себе она, безусловно, знал о ней и Шамиль Исмаилов.

«Нет, я ничего не рассказала Юлии Николаевне, — думала она, пытаясь успокоиться, — но я рассказала практически все. Я зачем-то назвала вслух имя Герасимова. Зачем? Какого хрена? Я у нее на глазах порвала его фотографию. Мне просто хотелось пожаловаться. В детстве я жаловалась своему дяде. Он умел слушать. Я вываливала на него все свои проблемы, и становилось легче. Потом, когда дяди рядом не было, я могла чем-то поделиться с Генкой, чем-то с подругами. В крайнем случае я просто смотрела в зеркало и жаловалась самой себе. Теперь я лишена даже этой малости. Но держать все внутри невозможно. Я ведь не железная. Шама видит меня насквозь и напрягается из-за доктора. Но наверняка из-за нее напрягаются и те, кто ловит Шаму. Она вполне может сотрудничать с ними. Во всяком случае они ее предупредили, кто я и с кем дружу. Или нет? Ну ладно, допустим, из моих с ней разговоров можно сделать вывод, что избили меня никакие не случайные хулиганы, а мой близкий друг Шамиль Исмаилов. Что дальше?»

Дальше зазвонила «Моторолла». Было два часа ночи. Проклятая игрушка не только издавала мелодичный щебет, она еще дергалась и подпрыгивала в кармане пижамной кофты. Анжела вылезла из кровати и покорно поплелась в ванную.

— Вспомнила? — тихо, вкрадчиво спросил Шамиль.

— Слушай, что ты меня достаешь, а? Ты бы лучше доставал этого придурка Герасимова! — рявкнула Анжела шепотом.

Она не думала о том, что говорит, она просто стала защищаться, нападая. В ответ последовала долгая нехорошая пауза. Анжела почувствовала, что ляпнула нечто лишнее.

«Правда, почему он не тронул Герасимова? Он должен бы его в бетон закатать... А может, я просто не знаю и уже закатал?» — пронеслось у нее в голове, и, чтобы заглушить тревогу, прервать паузу, она произнесла как можно пренебрежительнее:

— Ты мужик или кто? Твоей девушке нанесли страшное оскорбление. Ну скажи мне, джигит, почему эта мразь до сих пор не в могиле?

— Я спрашиваю, ты вспомнила, о чем говорила с докторшей? — холодно отозвался Шамиль.

— И вспоминать нечего! У нее в машине музыка играла. Вертинский. Ты, конечно, не знаешь такого. Так вот, я ей рассказывала, что собиралась сделать клип по одной из его песен. А когда я говорила с тобой по телефону, то объяснила потом, что это звонил Генка. Все? Ты доволен?

— Ты говорила с ней о Герасимове? — тихо спросил Шамиль.

У Анжелы побежали мурашки по спине. Частная клиника пластической хирургии наверняка имела какую-то свою бандитскую крышу. А у Шамиля хорошие контакты с тремя крупнейшими бандитскими группировками Москвы. Он вполне мог договориться о том, чтобы все разговоры Анжелы с доктором записывались и передавались ему.

«Нет. Это уж слишком! — мысленно рявкнула на себя Анжела. — В клинике сейчас наверняка работает ФСБ. Шамиль, конечно, многое может, но он не шеф гестапо, он всего лишь чеченский авторитет. Однако как быть? Сказать правду немыслимо. Соврать опасно...»

— Шамочка, солнышко, — пропела она нежно, — ну почему ты меня совсем не жалеешь? Я, между прочим, спать хочу. Я сижу в ванной, у меня ноги голые, мне холодно.

— Ответишь на вопрос, будешь спать.

— На какой вопрос, милый? Я не поняла.

— Ты что-нибудь говорила доктору о Стасе Герасимове?

— Ой, не помню, совершенно не помню. Шамочка, я тебя умоляю, объясни, почему Стас Герасимов до сих пор остался темой для разговора? Его не должно быть на свете после того, что он сделал. — Анжела подвинула к себе пушистый коврик, села на него, но он оказался влажным и пришлось опять сесть на жесткий борт ванной.

— Обо мне ты будешь молчать, — задумчиво, отрешенно пробасил Шамиль, — это я знаю, на то, чтобы не болтать обо мне с докторшей, у тебя ума хватит. Но ты женщина. Тебе надо пожаловаться, поплакаться, и ты вполне могла рассказать докторше о том, как обидел тебя Герасимов. Рассказала или нет?

— Не-ет! — ноющим, жалобным голоском протянула Анжела. — Нет, Шамочка, я все-таки тебя не понимаю. Ты что, боишься за него, за этого козла вонючего?

— Ладно, хватит дурочку валять, — он повысил голос, — ответь мне честно, по-хорошему, и мы больше не будем это обсуждать. Я просил тебя вспомнить, о чем ты говорила с доктором Тихорецкой. Я дал тебе для этого достаточно времени. Теперь я тебя слушаю.

— Ну ты зануда, Шамка, — проворчала Анжела и громко, выразительно зевнула в трубку, — мы с доктором обсуждали мои операции, я просила выписать что-нибудь обезболивающее, у меня швы чешутся, спать не могу. Потом я спросила у нее, как открывается окно. Она показала, но предупредила, что мне надо опасаться сквозняков, ни в коем случае нельзя простужаться, потому что, если я чихну, швы могут разойтись. Ну как, интересно тебе? Мне продолжать?

— Продолжай.

— О Господи, ты даже не просто зануда, ты чемпион мира по занудству. Еще мы говорили о музыке, о Вертинском. Еще я жаловалась ей на Генку, что он не приехал за мной, не оставил денег даже на такси.

— Так. Дальше.

— Ну потом она рассматривала фотографии, которые валялись у меня в палате. На одной из них вполне мог быть Герасимов. Но специально о нем мы не говорили. Все? Я могу наконец лечь спать? И пожалуйста, умоляю тебя, не поминай ты больше про этого козла. Не можешь порвать его на куски, так хотя бы не поминай о нем при мне, хорошо?

— Спокойной ночи, — ответил Шамиль, и тут же раздались короткие гудки.

———

ГЛАВА ДВАДЦАТЬ ДЕВЯТАЯ

— Я ничего не могу сказать без полного серьезного обследования, — заявил грек-онколог, прощупав Владимиру Марленовичу живот, заглянув в рот и оттянув веки, — вы должны были обращаться к врачам в России до приезда сюда.

— Они сказали, что у меня рак желудка с метастазами в печень и легкие.

Выпуклые темно-синие глаза грека скользнули по лицу Владимира Марленовича, тонкие смуглые пальцы отбили быструю дробь по подлокотнику.

— Может, вам стоит пройти повторное обследование у нас? — спросил он, чуть понизив голос. — В Керкуре замечательная клиника, специалисты, оборудование...

— Зачем?

Грек сдвинул смоляные брови, расстегнул верхнюю пуговку белоснежной рубашки:

— Это обойдется вам не дороже, чем в России. Возможны скидки.

Они говорили по-английски, тихо и быстро. Наталья Марковна их не понимала, напряженно переводила взгляд с врача на мужа, глаза ее двигались туда-обратно, словно она следила за полетом теннисного мяча. При слове «канцер» она вздрогнула.

— Дело не в деньгах, — снисходительно улыбнулся генерал, — я знаю свой диагноз и ни одного дня не хочу проводить в клинике.

— Почему?

— Потому что мне слишком мало осталось жить.

— Без медицинской помощи вам останется значительно меньше, — грек принялся сосредоточенно крутить массивный перстень с темным сапфиром и на генерала старался не смотреть.

— Важно не количество, а качество, — мягко возразил генерал, — сколько бы ни осталось, год, полгода, я хочу прожить это время без химии, радиации, гормонов и трубки в животе. А ничего другого вы мне предложить не можете.

— То есть вы отказываетесь от медицинской помощи?

— Отказываюсь.

— Вы абсолютно уверены?

— Да. Я все продумал и принял решение. Я не буду его менять.

— Месяц, — грек поднял вверх указательный палец, украшенный перстнем, — один месяц.

— Вот так, да? — генерал шевельнул светлыми лохматыми бровями. — В России мне обещали больше.

— Если бы вы стали лечиться, как это делают все нормальные люди в подобной ситуации, я тоже пообещал бы вам больше. Но вы отказываетесь. И я считаю своим долгом сказать вам правду.

— Спасибо, — усмехнулся генерал.

— Пожалуйста, — кивнул врач, — и все-таки я предлагаю вам еще раз хорошенько подумать. Поймите, время уходит. С каждым днем помочь вам все трудней. Может быть, вы надеетесь вылечиться альтернативными методами? Травы, голод, сырые овощные соки, экстрасенсы, колдуны? Может, какой-нибудь мошенник вводит вас в заблуждение?

Генерал усмехнулся и молча помотал головой.

— Впрочем, я вижу, вы достаточно разумны, чтобы не верить шарлатанам, — вздохнул грек, — вероятно, вам кажется, что без медицинского вмешательства вы умрете спокойно, мирно и до последнего момента останетесь дееспособны и в сознании?

— Я знаю, что меня ждут очень сильные боли. Ни минуты без обезболивающих препаратов, самых мощных, — генерал приподнялся на подушках, спустил ноги на пол. — Значит, вы говорите, не больше месяца? Спасибо, что предупредили. Мне надо знать. У меня к вам две просьбы. Пожалуйста, не стоит рассказывать моей жене, насколько все плохо.

— Она вряд ли поверит, что у вас гастрит или язва. Ведь это именно она попросила вызвать онколога.

— Скажите, что без обследований вы диагноз поставить не можете, в общем, говорите, что хотите, только не пугайте.

— Хорошо. Какая вторая просьба?

— Обезболивающие препараты. Самые сильные.

* * *

— Здравствуйте, Станислав Владимирович! — громко произнес охранник.

Сергей мысленно поздравил себя. Впервые его назвали новым именем. Парень в камуфляже улыбался ему из своей будки как старому знакомому.

— Привет, — кивнул Сергей.

Подъезд был отделан мрамором и напоминал холл дорогого отеля. Сергей направился к лифту, небрежно подкидывая на ладони связку ключей.

Хлопнула входная дверь. Связка с оглушительным звоном упала на мраморный пол. Сергей наклонился, чтобы поднять, темные очки соскользнули с носа, он поймал их на лету. Внимательно изучая фотографии, он видел, что стал точной копией Герасимова. Он ничем не отличался от оригинала. Ничем, кроме глаз. Совпадали цвет и форма, но взгляд был другим.

— Добрый день, Станислав Владимирович, — прозвучал позади женский голос, хрипловатый и надменный.

Сергей обернулся, поздоровался. Высокая дама лет пятидесяти, в отличие от охранника, не улыбалась, смотрела мимо. Рядом с ней стояла задумчивая афганская борзая.

Собака обнюхала Сергея, завиляла хвостом, потянула к нему морду и ткнулась мокрым носом в ладонь. Он машинально погладил пса, потрепал за ухом. В ответ борзая лизнула его руку.

— Фантастика! — удивленно воскликнула дама и улыбнулась. — Глазам своим не верю! У вас с Линдой всегда были такие напряженные отношения. Что с вами, Станислав Владимирович? Вы же собак терпеть не можете!

Подъехал лифт. При ярком свете в зеркале Сергей увидел себя, рядом лицо дамы и узнал ее. Это была известная актриса. Борзая Линда между тем продолжала размахивать хвостом и опять ткнулась носом Сергею в руку.

— Нет, это поразительно, — продолжала удивляться актриса, — Линда, детка, не приставай ты со своими нежностями.

— Да пусть пристает, — улыбнулся Сергей и погладил собаку, — красавица, умница.

Дама поправила волосы, скосила глаза на Сергея в зеркале, заметила шрамы.

— Я слышала, вы попали в авари ?

— Да, — кивнул Сергей.

— А почему в очках? Повредили глаза?

— Немного.

— Ну выздоравливайте. Всего доброго, — актриса вышла на своем этаже, и Сергей вздохнул с облегчением.

Прежде чем открыть дверь квартиры, он достал лупу, фонарик, внимательно оглядел дверную ручку и замки, осторожно приподнял коврик. Никаких сюрпризов, ничего интересного. Он знал, что сразу после отъезда хозяина здесь побывали оперативники. Ручка была покрыта специальным составом, фиксирующим отпечатки пальцев. Возле замка закрепили невидимую нить толщиной с волос. Нить осталась цела, на сверкающей ручке ни пятнышка, тончайший налет пыли. Значит, гостей не было.

Поворачивая ключ, Сергей услышал телефонный звонок. Аппарат стоял в прихожей. Сергей запер дверь изнутри, глубоко вздохнул и взял трубку.

— Стас? — осторожно спросила женщина на другом конце провода.

— Да. Я слушаю, — он стоял посреди незнакомой прихожей и нюхал воздух чужой квартиры.

«Кто это? Эвелина? Галя? А может, какая-нибудь третья дама, неизвестная полковнику Райскому?» — гадал он, оглядывая кремовые стены прихожей.

— Что у тебя с голосом?

— Простыл немного, — Сергей откашлялся.

— Где ты был все это время?

«Галя должна знать, что я попал в аварию и лежал в больнице. Ее муж работает у меня на фирме, там об этом все знают. Стало быть, я говорю с Эвелиной? Но она ведь тоже могла позвонить на фирму?

— Ну что молчишь? У меня для тебя новости, надо срочно встретиться. Я звоню тебе каждый день. На фирме хамки-секретарши говорят, что тебя нет, и бросают трубку. У родителей твоих никто не подходит. В чем дело, Герасимов?

— Родители улетели в Грецию, — промямлил Сергей.

— Я рада за них. А ты где пропадал две недели?

— В больнице лежал.

— Что, серьезно? — в трубке неприятно засмеялись. — Я уж думала, тебя арестовали за убийство шофера Гоши. Как же ты попал в больницу?

— Очень просто. На «скорой» привезли. Один кретин долбанул меня сзади, я въехал в машину, которая была спереди, очнулся в реанимации.

— О Господи, Стасик, что же ты не позвонил? Ужас какой! Ты цел? Как ты себя чувствуешь?

— Сейчас почти нормально. Отделался сотрясением мозга, ну и лицо порезало осколками ветрового стекла. А так все ничего. Вот, только сегодня выписали.

— Все, я к тебе еду прямо сейчас.

Возразить Сергей не успел, поскольку она тут же бросила трубку.

* * *

Наталья Марковна вошла в комнату, и, взглянув на нее, генерал понял, что грек первую его просьбу не выполнил.

— Я заказала на завтра билеты в Москву, — сказала она, присев на край кровати, — Стас останется здесь. Николай будет постоянно с ним рядом.

— Да, Наташа, — равнодушно кивнул генерал.

— Где тебя обследовали, Володя?

— В частной клинике. Как называется, не помню. Где-то на Соколе, неподалеку от метро.

— Но ты не пролежал там и суток, разве можно так быстро определить диагноз?

— Можно.

— Что они тебе предлагали?

— Ну что они могут предложить? Обычное меню. Операция. Резекция желудка и части кишечника. Трубка из живота. К трубке привязывают специальный мешочек. Потом химия, гормоны, лучевая терапия.

— Они могли ошибиться, — Наталья Марковна осторожно провела ладонью по его щеке, — такой диагноз не ставится за один день, человека кладут на обследование, собирается консилиум.

— Не надо, Наташенька. Я и без их аппаратуры все знаю.

— Давно?

— Ну как тебе сказать? Я почувствовал неладное в тот день, когда к машине Стаса прицепили взрывчатку. Первая настоящая боль пришла в тот вечер, когда позвонила Эвелина и я собирался поехать к ней вместе со Стасом. На следующий день я нашел в справочнике телефоны нескольких частных клиник экспресс-диагностики. Выбрал одну наугад, приехал, провел там около четырех часов, договорился, что мне скажут правду, какой бы она ни была. Через пару дней они позвонили, попросили приехать и сообщили мне результаты обследования. Честно говоря, я им не поверил.

— И правильно. Надо было все сделать по-человечески. Почему ты не лег на серьезное обследование?

— Ты не поняла, Наташа, — улыбнулся генерал, взял ее руку и поцеловал ладонь, — диагноз поставлен точный. Я не поверил, что они могут помочь. Не только эти врачи в этой клинике, но вообще никакие врачи. Они не умеют лечить рак. Ты помнишь, как умирала Мария

Петровна? Мы с тобой навещали ее в онкоцентре на Каширке. Я так не хочу.

— Володя, ей было восемьдесят четыре. А тебе всего шестьдесят. Да, я с тобой совершенно согласна, они не умеют лечить рак. Но, во-первых, мы пока все-таки не знаем точного диагноза, а во-вторых, существуют всякие альтернативные методы, есть, наконец, чудо. Помнишь, ты рассказывал, как в детстве умирал от пневмонии, врачи от тебя отказались и помогла какая-то деревенская знахарка?

— Ты хочешь разыскать ту знахарку? — слабо улыбнулся генерал. — Лучше скажи, где Стас?

— На пляже.

— Он уже знает?

— Пока нет.

— Не говори ему. Я сам. И вообще я прошу тебя никому ничего не говорить. Я понимаю, скрыть не удастся, но чем позже все узнают, тем лучше. Помнишь, как ты не верила, что умер наш первый ребенок?

Генеральша напряженно застыла. Генерал продолжал держать ее за руку и почувствовал, как похолодели ее пальцы.

— Я думала, ты забыл Сережу.

— Нет, конечно. Просто слишком больно было говорить о нем. Я все эти годы чувствовал себя виноватым. Он умер у меня на руках, если бы я сразу заметил, что он не дышит, можно было бы спасти, сделать искусственное дыхание, массаж сердца. Но я слишком устал от переживаний, я был за него спокоен и волновался из-за Стаса.

— Перестань, Володя. Ты ни в чем не виноват, — Наталья Марковна сжала ладонями его щеки, наклонилась и посмотрела ему в глаза совсем близко, — ты не виноват.

— Не надо, Наташа. Я заговорил сейчас об этом не для того, чтобы каяться. Ты помнишь, как долго не желала верить, что он умер? Я не понимал тебя тогда. Мне казалось, в этом было нечто болезненное. Я опасался за твое психическое здоровье. Но оказывается, ты была права в своем упорстве. Не знаю, поймешь ты меня сейчас или нет. Я прожил шестьдесят лет и привык думать, что есть только одна правда. Грубая и конкретная реальность, которую можно увидеть и пощупать. Я верил в нее, и она меня никогда не подводила. А сейчас она повернулась ко мне своей грязной непристойной задницей, задрала подол, как публичная девка в дешевом борделе. Она издевается и ржет, она вопит, что все бессмысленно, я скоро сдохну и жалкий остаток жизни сводится для меня к трубке с мешочком для испражнений, к дикой безнадежной боли. Но сегодня ночью до меня вдруг дошло, что эта реальная потаскуха с голым задом — не единственная правда. Она вообще никакая не правда. Есть нечто совсем другое. Я подумал: что же? Где альтернатива? И вспомнил, как упрямо ты повторяла, что умерший ребенок жив. Вот эта твоя вера и есть единственная надежная реальность. А все остальное — только личина. Наташа, я хочу попросить, если хватит сил у тебя, ты не верь, что я умираю, что я умер. Как тогда, тридцать шесть лет назад, с Сережей.

Наталья Марковна молча встала, подошла к полукруглому окну, расправила легкие занавески, несколько секунд стояла, глядя на линию горизонта, отделявшую море от неба, ровную, словно ее чертили по линейке.

— Ты мог бы не просить меня об этом, Володя, — сказала она, не оборачиваясь, — я не верю, что ты болен безнадежно. Я знаю, что ты не умрешь.

Владимир Марленович закрыл глаза, осторожно перевернулся на правый бок, глухо откашлялся и произнес:

— Наташа, я посплю немного, пока действует лекарство.

Наталья Марковна прикрыла окно, задернула занавески, вернулась к кровати, села на краешек, тронула губами его висок, потом тяжело поднялась, еще несколько минут постояла. Глаза ее оставались сухими. За все это время ни слезинки. О своей астме она забыла и уже не боялась приступа.

Когда она подошла к двери, генерал еле слышно окликнул ее:

— Наташа...

— Что, Володенька?

— Я тебя люблю.

— Почему ты никогда раньше этого мне не говорил? Ни разу за тридцать семь лет.

— Дурак был.

* * *

Юлия Николаевна услышала, как хлопнула входная дверь, и, не отрываясь от компьютера, крикнула:

— Сразу переоденься, ты мокрая насквозь! Там проливной дождь, а ты без зонтика.

— Мама, ты сначала посмотри на меня, а потом говори! — сердито ответила Шура. — Я, между прочим, пришла, а ты даже встретить меня не можешь!

— Ну ладно, ладно, не сердись. — Юля, продолжая смотреть в монитор, нашарила шлепанцы под столом и отправилась в прихожую.

Там было темно. Она щелкнула выключателем, но свет не зажегся.

— Лампочка перегорела еще утром, — мрачно сообщила Шура, — а запасных у нас, естественно, нет, — она опустилась на табуретку и принялась расшнуровывать свои новые скетчерсы.

— Ты могла бы купить по дороге, — заметила Юля, — слушай, а почему ты такая надутая? Неприятности в школе?

— В школе все нормально. Ничего я не надутая. Настроение плохое. Терпеть не могу дождь. Чем это ты так увлечена, мамочка, что не отлипаешь от компьютера и даже не можешь меня нормально встретить?

— Ну извини, заработалась. Статью пишу.

— О методах бесшовного соединения тканей при пересадке кожи?

— Нет, эту я уже написала, — засмеялась Юля, — кстати, чтобы ты знала, бесшовных соединений не бывает. Просто в микрохирургии совершенно новые технологии и материалы. А сейчас я пытаюсь проанализировать результаты применения титановой основы в костных и хрящевых инплантантах. Но вообще мне приятно, что ты так внимательна к моей работе. Ладно, переодевайся, простудишься. И волосы высуши.

— Мама, ты сумасшедший трудоголик! — закричала Шура. — Тебе лечиться надо, ты, когда работаешь, вообще не врубаешься в реальность. Я совершенно сухая, а ты второй раз отправляешь меня переодеваться.

— Да, действительно, ты сухая, — Юля провела рукой по ее волосам, — неужели догадалась купить себе новый зонтик?

— Ты что, ничего не помнишь? Нет, тебе точно надо лечиться!

— Что я должна помнить?

— Ну, привет! — Шура дунула на челку,

закатила глаза и покрутила пальцем у виска. — Ты забыла, что прислала за мной машину в школу?

— Какую машину? — Юля резко развернулась и уставилась на дочь. — Я никого за тобой не присылала.

— Ты в этом абсолютно уверена?

— Абсолютно, — кивнула Юля, — может, я и правда сумасшедшая, но не до такой степени. Что же за машина?

— Темно-синий «Форд». Шофер кавказец, — испуганно прошептала Шура, — он ждал меня с зонтиком прямо у ворот, после шестого урока. Он поздоровался, назвал меня по имени...

— И ты села в этот «Форд»?!

— Ну а как я могла не сесть? Во-первых, ты и раньше иногда присылала за мной такси, помнишь, в январе, когда были морозы, в этом году и в прошлом? Во-вторых, сейчас дождь проливной, а я опять потеряла зонтик, — она всхлипнула, высморкалась, снова всхлипнула.

— Эй, ты плачешь, что ли?

— Разумеется, нет!

— Так, стоп. Успокойся, пойдем на кухню, поедим, и ты мне все подробно, по порядку расскажешь. Ну что ты паникуешь раньше времени? — Юля обняла дочь, прижала к себе и почувствовала, как вздрагивают у нее плечи.

— Мамочка, я не паникую и вовсе не плачу, — всхлипнула Шура, — я совершенно спокойна. Просто мне обидно, что я оказалась такой дурой и села в машину. Ты можешь снять с меня носки?

— Перезанималась физкультурой? Спина не гнется? — Юля присела перед ней на корточки. — Ладно, будем считать, что ты маленькая. О Господи! Что у тебя с ногами?

Обе Шурины пятки были в крови. Носки присохли. Юля принесла перекись водорода, сухой стрептоцид, пластырь и принялась обрабатывать раны.

— Вот оно, счастье, — проворчала она, — вот они, ботинки, на которых посидел слон. На твоем месте я бы, наверное, тоже села в машину.

— Они должны вначале тереть, просто мне надо было заранее заклеить ноги пластырем. Я их все равно буду носить, потому что они классные. Знаешь, я все поняла, — Шура высморкалась в бумажную салфетку, — это опять связано с Анжелой, как в тот раз, в «Рамсторе».

— Ладно, Шурище, давай сначала поедим, а потом все обсудим. Что ты будешь? Отбивную или рыбные палочки? Есть еще курица, но ее надо размораживать.

— Ничего я не буду. Ты забыла, что я худею? Всю дорогу он крутил последний диск Анжелы и говорил только о ней. И о тебе. Скоро ли ты сделаешь ей новое лицо и какое это будет лицо? Не знаешь ли ты, нашли уже преступников, которые ее избили? Не одолевают ли тебя журналисты? Мама, она, конечно, звезда, но не такого уровня, чтобы на каждом шагу тебя, врача, который ее оперирует, преследовали желтые журналисты, а случайный таксист лет сорока оказывался ее фанатом.

— Погоди, не так быстро, — Юля открыла окно, села на подоконник и закурила, — каждый раз, когда я присылала за тобой такси, мы договаривались заранее, я давала тебе деньги. Как ты с ним расплатилась? Такси от твоей школы до дома стоит сто десять рублей. У тебя ведь не было с собой такой суммы?

— Да, я предупредила, что у меня всего рублей двадцать мелочью. Он сказал, что ты расплатишься позже.

— Как это — позже?

— Он будет заезжать за мной постоянно, — Шура дунула на челку и растянула губы в саркастической усмешке, — да, мамочка, постоянно. А потом ты с ним рассчитаешься. Мама, не смотри на меня так. Я понимаю, что поступила как полнейшая кретинка. Мне нельзя было садиться в эту машину, особенно после истории с корреспондентом в «Рамсторе». Но шел дождь, и он назвал меня по имени. И еще, самое главное. Он просил тебе передать, чтобы ты была осторожна и никому не рассказывала то, что узнаешь от Анжелы.

— Он так и сказал?

— Да, именно так. Он долго рассуждал о том,

что все эстрадные звезды связаны с преступным миром, через шоу-бизнес прокручиваются огромные деньги и он посоветовал бы любому человеку, который общается с такой звездой, как Анжела, держать язык за зубами. Ну а потом произнес эту фразу: «Передай маме, чтобы она была осторожна».

Юля соскочила с подоконника, загасила сигарету, села рядом с Шурой на лавку, обняла ее, поцеловала и тихо спросила:

— Ты запомнила номер?

— И запоминать нечего. Три шестерки. Только мне кажется, он фальшивый. Мамочка, ну зачем, зачем ты согласилась ее оперировать? Мне что теперь, в школу не ходить? Нет, я, честное слово, не понимаю. Если у нее правда любовник чеченский террорист, почему его не могут поймать? Почему он делает что хочет? Ведь можно объявить розыск, показывать фотографии по телевизору во всех новостях, проверять документы у всех похожих людей, загнать его в угол.

Юлина рука потянулась к телефону, чтобы сейчас же позвонить Райскому.

— Ты хочешь позвонить Анжеле? — спросила Шура, глядя на нее блестящими от слез глазами.

— Да... нет... я не могу ей позвонить, — Юля бросила трубку, — мне просто не пришло в голову записать ее домашний телефон.

— Тогда кому?

— Никому. В милицию. Но, наверное, нет смысла.

— Я уже думала об этом, — энергично кивнула Шура, — вряд ли они станут нас слушать. Что, собственно, произошло? В «Рамсторе» к тебе привязался корреспондент молодежного журнала. В этом нет ничего криминального. Меня подвез какой-то кавказец на «Форде». Ну да, он соврал, что ты заказала машину. Но ведь он меня пальцем не тронул. Просто довез до подъезда, причем бесплатно. Вот она я, цела и невредима. Лучше ты с Анжелой поговори. Это ведь все из-за нее. Пусть она разберется со своими криминальными знакомыми.

— Конечно. В пятницу она придет на прием, я с ней серьезно поговорю.

— Но ты не откажешься от нее?

— Не знаю. Еще одна подобная история, может, и откажусь.

— Не надо, мамочка.

— Почему?

— Во-первых, мне ее все-таки жалко. Может, она вообще не знает, как тебя достают из-за нее? А во-вторых, я чувствую, что будет хуже. Если ты откажешься, они на нас наедут всерьез.

— Шура, прекрати. Не паникуй. Никто на нас не наедет, — жестко произнесла Юля, встала, включила чайник, — успокойся и подумай, зачем и кому это нужно. Ну да, меня окружили пристальным и крайне неприятным вниманием криминальные друзья певицы. Это вполне понятно. В Анжелу вложены большие деньги, не только сейчас, но и раньше. Когда они вкладывают деньги, они предпочитают держать под контролем все, что имеет отношение к этим деньгам. Как только я сделаю Анжеле новое лицо, все закончится само собой.

— А когда ты ей сделаешь новое лицо? — шмыгнув носом, спросила Шура. — Когда ты сможешь с ней окончательно распрощаться?

— Скоро, Шурище. Уже скоро. Все, иди делай уроки. Потом опять будешь хныкать, что не успеваешь.

На самом деле окончательно распрощаться с Анжелой предстояло не раньше чем через полгода. Но ребенку это знать не обязательно.

— Значит, в школу я завтра пойду?

— Разумеется. Утром я тебя отвезу, как обычно, а заберет тебя такси. Сегодня вечером я позвоню на фирму, попрошу, чтобы за тобой прислали водителя, которого ты знаешь в лицо. Ты помнишь, кто возил тебя в январе?

— Помню.

— Ну вот. А если ты увидишь поблизости этот несчастный темно-синий «Форд», покажешь его вашему школьному охраннику и скажешь, чтобы он позвонил в милицию. Ну ты успокоилась?

— Вроде бы, — тяжело вздохнула Шура, — а ты?

— Я тоже вроде бы, — улыбнулась Юля, — иди делай уроки и больше об этом не думай. Ничего страшного не происходит. У меня не совсем обычная пациентка и все.

Шура, прихрамывая на обе ноги, поковыляла к себе. Оставшись одна, Юля закрыла дверь и набрала номер полковника Райского, который уже знала наизусть.

———

ГЛАВА ТРИДЦАТАЯ

Сергей не спеша обошел квартиру. Три комнаты были обставлены дорого, со вкусом, но все-таки витал в них какой-то нежилой, казенный дух. Дом Герасимова напоминал номер-люкс в шикарном отеле. Впрочем, Сергею никогда не доводилось жить в таких отелях, он видел их только в кино и по телевизору.

Мебель, шторы, посуда, все как с картинки из каталога. Огромный экран домашнего кинотеатра. Кухня отделена от гостиной стойкой бара. Собственно, кухни никакой нет, просто закуток с холодильником, электроплитой и навесными посудными шкафами.

В кабинете два компьютера. Один стационарный, в углу на специальном компьютерном столе, другой маленький плоский ноутбук, на полке у просторного письменного стола. Столешница покрыта прозрачным пластиком, под ним выложены семейные фотографии.

Худощавый молодой лейтенант погранвойск,

возле него, положив голову ему на плечо, стоит девочка с двумя хвостами и челкой. Девочка очень хорошенькая, весело улыбается. Офицер суров, напряжен. Внизу красивым почерком выведено: «Москва, 1963, мы еще не поженились». Рядом свадебный снимок. На взбитых волосах у девочки капроновая фата. Лейтенант в парадной форме. Улыбаются оба, позади смутные силуэты свидетелей. «Москва, 1963. Сейчас мы распишемся!»

Дальше совсем ветхая, пожелтевшая фотография все той же пары. У девочки виден большой живот. Лицо ее серьезно, испуганные круглые глаза смотрят прямо в объектив. Лейтенант повернулся к ней, и на снимке получился в профиль. Внизу короткая подпись «Тува, 1964». Рядом крупная качественная фотография пухлого лысого младенца в распашонке. «Тува, 1964, тебе три месяца».

Кроме многочисленных портретов хозяина квартиры, с родителями и без них, от младенца до мужчины тридцати шести лет, под стеклом было еще несколько лиц. И под каждым снимком заботливая рука Натальи Марковны писала имена бабушек, дедушек, дядьев и теток. Сергей сразу понял, что маленькую портретную галерею создала мама хозяина. Сам он вряд ли на такое способен.

В спальне бросилась в глаза одна странность. Огромная роскошная кровать была накрыта шерстяным пледом. Это резко выбивалось из общего стиля. На такой кровати должно лежать дорогое широкое покрывало. Плед был явно не отсюда, слишком маленький и скромный. Сергей поднял его и обнаружил голый матрац без белья. Посередине зияла дыра. Ткань белой обивки вокруг отверстия была коричневатой. Сергей бросился в прихожую, чтобы достать лупу из кармана куртки, но в этот момент зазвонил домофон.

— Станислав Владимирович, к вам Дерябина Эвелина Геннадьевна, — сообщил вежливый баритон охранника.

— Да, спасибо, — Сергей положил трубку, быстро вернулся в спальню, расстелил плед на матрасе, вышел и плотно закрыл дверь.

Ожидая звонка в прихожей, он внимательно оглядел себя в зеркале, схватил темные очки, надел, снял, опять надел. Звонок запел соловьем. На пороге появилась высоченная худая женщина в белом брючном костюме. Короткие черные волосы были гладко зачесаны назад. Полный рот приоткрыт. Глаза быстро, неприятно ощупали Сергея.

— Здравствуй, Герасимов. Я могу войти?

— Да, конечно, Линка. Привет.

— Погоди, не закрывай дверь, у меня там сумка. Ну что ты встал как вкопанный? Покушать тебе привезла, бедненькому. Давай, помоги, тяжелая, между прочим.

Сергей выглянул за дверь, взял объемный пластиковый мешок.

— Спасибо, Линочка.

— На здоровье! — она оскалила крупные белоснежные зубы. — Я ведь знаю, у тебя наверняка пустой холодильник. Домработница твоя уволилась, мамочка в Греции. Ну привет, зайчик мой, — она мягко чмокнула его в щеку и тут же принялась стирать след помады.

— Осторожно, у меня там шрамы, — хрипло проговорил он.

— Бедненький. Ну-ка дай на тебя посмотреть, — она по-хозяйски включила яркое бра над зеркалом, взяла его за плечи, развернула к свету и сняла с него очки, — да, круто. Глазам не верю. Герасимов, ты совершенно на себя не похож. Просто другой человек. Слушай, тебя случайно не подменили? — она хрипло засмеялась.

— Ага, меня перепутали в больнице, — проворчал Сергей, выскальзывая из ее жестких рук, — еще бы я был на себя похож, мне все лицо исполосовало осколками. К тому же сотрясение мозга. До сих пор башка гудит.

Она скинула туфли, присела на корточки, взяла тапочки с обувной полки. Сергей заметил, что тапочки женские, но Эвелине они малы размера на два, и слегка напрягся. Райский предупреждал, что Эвелина болезненно ревнива. Однако никакой реакции с ее стороны не последовало. Она распрямилась, хрустнув суставами, сняла пиджак, аккуратно повесила на плечики и вновь принялась ощупывать его лицо своими черными напряженными глазищами.

— Нет, правда, Герасимов, ты потрясающе изменился. У тебя стал другой взгляд, ты похудел, — она взяла его руку, — у тебя никогда не было таких тонких пальцев. Ой, а где твой перстень? Ты же обещал никогда не снимать.

— Сперли, — вздохнул Сергей, — я ведь был без сознания.

— Это врачи «скорой»! — авторитетно заявила Эвелина, — точно, они. Слушай, может, тебе в милицию заявить? Между прочим, перстень дорогой, там бриллиантики хоть и маленькие, но настоящие. Ладно, пошли, сваришь мне кофе и поговорим. Скажи честно, Герасимов, ты хотя бы рад мне? Или я напрасно приперлась? Ты даже не поцелуешь меня, не обнимешь.

— Линочка, солнышко, ну что ты спрашиваешь? — он обнял ее за талию и чмокнул в щеку. — Я ужасно по тебе соскучился. А вот насчет кофе не знаю. Я ведь только сегодня из больницы.

— Стас, убери руку! Забыл, я терпеть не могу, когда меня трогают за ребра?! — она повысила голос и резко скинула его руку.

— Прости, прости, я много чего забыл. У тебя когда-нибудь было сотрясение мозга?

— Слава Богу, нет. Ладно, расслабься. Кофе

я тебе привезла, и сахар тоже, еще колбаску твою любимую, испанскую, с плесенью, и хлебушек, и киви. — Она принялась доставать свои дары из пакета. Сергей растерянно глядел на нее и думал, что продуктов здесь тысячи на полторы. Предложить ей деньги или нет? «Ни в коем случае! — решил он. — Если у них это принято, она сама напомнит, а если не принято, то количество моих странностей может перейти в качество и она всерьез заподозрит неладное».

— Линка, смотри, ты избалуешь меня, — промямлил он, взял в руки кривой белесый батон колбасы, — я привыкну к такой заботе...

— Герасимов! — она резко развернулась и выронила банку красной икры. — Нет, тебя точно подменили! Ну-ка посмотри мне в глаза. Да сними ты свои очки к едрене фене!

— Не могу, — Сергей решительно помотал головой, — у меня сетчатка повреждена, свет мне вреден, — он наклонился, поднял банку и поставил на стол.

— Да? Ну фиг с тобой. Садись, отдыхай, горе луковое, — она подошла к ореховой стенке, присела на корточки.

Раздался легкий щелчок, гостиная наполнилась нежной мелодией. Эвелина принялась изучать содержимое зеркального бара, выбрала бутыль французского коньяка.

— Мне нельзя, — предупредил Сергей, когда она поставила на стол две рюмки.

— А мне можно, — оскалилась Эвелина, ловко раскупорила бутылку, налила полную рюмку и выпила залпом, как водку, — твое здоровье, солнышко.

— Ты разве не за рулем?

— Конечно, за рулем. Ну и что? Слушай, Стас, а было бы совсем неплохо, если бы ты правда привык к моей нежной заботе. Ты, конечно, скотина, бабник, трус и предатель, но я ведь тоже не подарочек. Тебе не кажется, что мы отлично подходим друг другу? — Она достала нож и принялась резать колбасу. — Молчишь? Ладно, не напрягайся. Я пошутила. Слушай, ты помнишь толстого хитрого человека по имени Петр Мазо?

— Петр Мазо? — медленно повторил Сергей. — Что-то очень знакомое.

Редкая фамилия Мазо действительно показалась знакомой, но он не мог вспомнить, где и когда встречал ее.

Эвелина красиво разложила на тарелке ломтики колбасы и кинула ему консервный нож.

— Открой-ка икорку. Петя Мазо главный редактор издательства, в котором вышли мои последние две книги.

— А, ну да, вспомнил, — пробормотал Сергей.

— Что ты вспомнил? Что? — она подошла к столу, налила себе еще коньяка и опять выпила залпом. — Нет, Герасимов, ты точно еще не долечился. У тебя совсем с головой худо. Как зовут главного редактора, а также как называются издательства, с которыми я сотрудничаю, ты знать не можешь. Тебе это по фигу. Ты этим никогда в жизни не интересовался, а то, что я тебе рассказываю, в одно ухо влетает, из другого вылетает. Но на этот раз советую слушать внимательно. Петя Мазо был твоим сокурсником. Вы учились вместе пять лет. Он тебя отлично помнит, — она отрезала толстый кусок лимона и отправила в рот прямо с кожурой.

«Вот! Убийство Маши Демидовой. Петр Мазо проходил свидетелем, — вспомнил Сергей, глядя, как Эвелина жует лимон и не морщится. — Он был в ту ночь на даче, в материалах есть протоколы его допросов!»

— Ну да, конечно. Толстый хитрый Петя Мазо. Так он стал главным редактором? Да еще в издательстве, где выходят твои книги? Надо же, как тесен мир.

— Ужасно тесен, — кивнула Эвелина, поставила на стол очередную тарелку, села, опять выпила коньяка, зачерпнула икру чайной ложкой, проглотила и закурила, — с прошлым главным редактором мы совершенно не общались, он хамло редкостное. А Петя совсем другое дело. С ним можно поболтать, кофейку выпить. Он ужасно компанейский. Все мечтает собрать ваш курс. Мы с ним разговорились на одной презентации. Он крепко выпил и поведал мне потрясающую историю из вашей студенческой юности. Оказывается, из-за тебя была убита девочка по имени Маша. Самая красивая девочка на вашем курсе.

— Почему из-за меня?

— Потому что убийца приревновал ее именно к тебе. Слушай, Герасимов, ты должен был давно мне рассказать, это же класс! Я бы использовала в каком-нибудь романе.

— Погоди, Петя Мазо так и сказал тебе, что Машу убили из-за меня?

— Ну нет, нет, — Эвелина засмеялась, — конечно, он сказал не так. А ты уж испугался, смелый ты мой. История действительно потрясающая, а Петька был слишком пьян, чтобы изложить ее внятно. Расскажи, умоляю. Ты не можешь не помнить.

— Конечно, помню, — кивнул Сергей, — но я не лучший свидетель. Меня в ту ночь на даче не было.

— Естественно, ты заболел в самый подходящий момент. Как всегда. Ты упорно клеил эту Машу, довел бедного влюбленного мальчика до белого каления, а потом заболел.

— Да, я заболел, валялся в ту ночь дома с высокой температурой, мне нечего рассказывать, меня даже не стали допрашивать, когда велось следствие, Петя знает куда больше подробностей, чем я. Он, кажется, был той ночью на даче.

— Да, но когда он рассказывал, у него язык

заплетался. Он смешал виски с шампанским и в конце понес полную околесицу. Убийцу звали Юра Михеев?

— Совершенно верно.

— А прозвище у него было Мультик?

— Да.

— Он знал наизусть все песни Высоцкого, говорил и пел его голосом? И ему дали десять лет? — она опять плеснула себе коньяку, выпила и закусила куском колбасы.

— Вроде бы, — кивнул Сергей и осторожно отодвинул от нее бутылку, — Линочка, ты много пьешь.

— Пью как обычно. Итак, все произошло в восемьдесят пятом. Значит, пять лет назад он должен был вернуться. Ты что-нибудь знаешь о нем?

— Честно говоря, не интересовался.

— Тебе его жалко?

— Наверное, жалко, — кивнул Сергей, — впрочем, он убийца.

— В общем, тебе все равно? — уточнила Эвелина.

— Господи, Линка, ну что ты тянешь? Какая разница, все равно мне или нет? Ты ведь хочешь сообщить мне нечто важное и интересное?

— Ох, не знаю. Может, все это вообще бред пьяного Петьки. Скажи честно, ты действительно окучивал Машу на глазах у ее воздыхателя?

— Честно, не помню, кого и как я окучивал

163

на третьем курсе. Девочек у нас было мало, а Михеев ревновал Машу к каждому телеграфному столбу. Не только я к ней клеился.

— Ладно, не перебивай, — поморщилась Эвелина, — слушай. Мазо уверял меня, будто встретил Михеева полтора года назад в аэропорту Шереметьево-2. Знаешь, там в международной зоне есть бар на втором этаже. Так вот, Петя летел во Франкфурт на книжную ярмарку. Зашел в бар. За соседним столиком сидела компания, четыре человека. Два молодых громилы, вроде охранников. Девица потрясающей красоты и пожилой мужик, похожий на бизнесмена или авторитета. В лице что-то жутко знакомое. Он смотрел, смотрел, но узнал его, когда услышал голос, кинулся к нему, завопил на весь аэропорт: «Мультик! Ты?», но два качка его близко не подпустили, а Михеев изобразил вежливое недоумение: «Простите, я вас не знаю».

— Может, твой Мазо и правда обознался? — осторожно предположил Сергей и положил в рот кусок колбасы. Она оказалась страшно острой, он поперхнулся, закашлялся. Эвелина встала, шарахнула его по спине так, что пошел звон, и, наклонившись к его уху, прошептала:

— Он клялся, что нет. Более того. С ним на ярмарку летели еще несколько человек из издательства, в том числе коммерческий директор, который знает всех на свете. Петя потом еще раз увидел того типа, в дьюти-фри, и потихоньку показал его директору, а тот и говорит: «Как, ты не знаешь? Это же сам Палыч, известный авторитет!» Вот так, Стасик. Михеева звали Юрий Павлович. Отчество совпало, да и вообще у Мазо потрясающая память на лица. Не обознался он.

— Ну в таком случае этот Михеев просто не хотел после зоны общаться с людьми из прошлой жизни, — пожал плечами Сергей, — вполне понятно.

— Что тебе понятно?! — хрипло закричала Эвелина. — Михеев умер от туберкулеза в девяносто пятом! Петя потом специально навел справки, у него есть знакомые в МВД.

— Виски с шампанским, говоришь? — задумчиво протянул Сергей. — И часто твой главный редактор принимает такой коктейль?

— Да, да, Петя любит выпить. Язык у него заплетается, но голова работает неплохо, уж поверь мне. Я в таких вещах разбираюсь. Слушай, Герасимов, когда в тебя въехала машина, это не могло быть продолжением?

— Продолжением чего?

Эвелина опрокинула в рот очередную порцию коньяка, пересела с кресла на диван, к Сергею, сняла с него очки. Лицо ее было совсем близко. Он видел пыльцу пудры, тонкие морщинки, комочки туши на ресницах. Он изо всех сил старался выдержать ее взгляд. Он не знал, что Стас Герасимов в такой ситуации отвел бы глаза.

— Не понимаю, — прошептала она чуть слышно, — я ничего не понимаю, ты не мог так сильно измениться от простого сотрясения мозга. Что-то в тебе не то, или я сошла с ума, — ее длинные пальцы с острыми ногтями скользнули по его затылку, — у тебя крашеные волосы. Что происходит, Стас?

— Линка, — прошептал он в ответ, судорожно сглотнув, — ты же знаешь, меня несколько раз пытались убить, к тебе в квартиру подкинули пистолет. Потом эта жуткая авария. Я почти сутки был в коме. А когда очнулся, увидел в зеркале, что стал совершенно седым. Мне страшно было смотреть на себя такого. Прежде чем вернуться домой, я заехал в парикмахерскую и покрасил волосы. Что, очень заметно?

— Нет, — она помотала головой и вдруг ткнулась лбом в его плечо, — нет, Герасимов. Не очень. Но пожалуйста, не делай этого больше. Ненавижу крашеных мужиков. Ты знаешь, я ведь вообще тебя ненавижу. Ты мне всю жизнь поломал. Мои последние, мои драгоценные пять лет, когда я еще женщина, я потратила на тебя. Почему, не знаешь? Ну что ты сидишь как столб? Обними меня.

Он осторожно обхватил руками ее худые острые плечи. От нее пахло перегаром и сладкими душными духами. Она была похожа на фронтовую подругу, такая же пьяная, беззащитная и готовая на все. Только зубы целы.

— Меня допрашивали несколько раз, — прогудела она ему в плечо, — я не сказала, что мы подходили к машине и видели твоего шофера мертвым. Я не сказала, что опоздала на десять минут и ты ждал меня на крыльце. Я заявила, что на моих глазах ты вышел из машины, и твой Гоша был жив. Потом мы вместе вошли в ресторан, а он отъехал. Почему ты не позвонил мне из больницы? Попросил бы кого-нибудь, если сам не мог. Я жутко волновалась. Мы ведь с тобой так толком и не договорились, что врать следователю, к тому же ты так безобразно повел себя тогда с этим пистолетом...

Зазвонил телефон, и оба вздрогнули. Аппаратов в доме было штуки три, один стоял тут же, на маленьком столике у дивана. Сергей осторожно отстранил Эвелину и взял трубку.

— Станислав Владимирович? — спросил низкий мужской голос.

— Да, я слушаю.

— Как вы себя чувствуете?

— Спасибо. Пока не очень... Простите, а с кем я говорю?

Повисла пауза, и Сергей понял, что должен был по голосу узнать человека на том конце провода.

— Это Плешаков, — сухо кашлянув, сообщили в трубке.

— Здравствуйте, Егор Иванович. Не узнал вас. До сих пор немного уши закладывает.

— Но вы можете разговаривать?

— Разговаривать могу. Соображаю пока с трудом.

— Простите, что беспокою вас, но дело очень срочное. Надо встретиться. Я подъеду к вам сегодня, часам к восьми, если не возражаете.

— К восьми? Да, конечно, — механически ответил Сергей.

Эвелина между тем успела хлебнуть еще, прилегла на диван и положила голову Сергею на колени.

«Как, интересно, она сядет за руль, такая пьяная? — подумал Сергей. — Ладно, можно вызвать ей такси. А если захочет остаться?»

— К восьми — это значит через сорок минут, — произнесла она, — у нас с тобой куча времени, Герасимов, — она подняла руку и скользнула пальцем по его губам.

— Линка, я грязный, больной, я только что из больницы, весь пропах марганцовкой и лекарствами, у меня голова кружится, мне надо принять душ, — сказал он и на всякий случай поцеловал ей руку.

— Да? — Она резко села и уставилась на него совершенно трезвыми холодными глазами. — Егор Иванович на самом деле очередная баба? Какая-нибудь сестричка из больницы? Или эта твоя, с сиськами, у которой муж армянин? Ну давай, колись, что уж там.

— Прекрати, — тихо рявкнул Сергей, — Егор

Иванович Плешаков начальник охраны банка. Пойми ты наконец, я две недели провалялся с сотрясением мозга, я не могу сейчас. Пока не могу. Сил нет. Ну, в общем, у меня ничего не получится.

Он не кривил душой. Пьяная хрустящая Эвелина со всеми ее горячими искренними чувствами не вызывала у него ничего, кроме сострадания.

— А если попробовать? — Она громко икнула и опять рухнула на диван. — У нас всегда получается, даже когда ты говоришь, что не можешь. Ладно, иди в душ. Я полежу здесь немного, не возражаешь? Господи, и что же я так нажралась, — пробормотала она, сворачиваясь калачиком на диване.

———

ГЛАВА ТРИДЦАТЬ ПЕРВАЯ

У здания аэропорта в Керкуре остановился белый «Рено». Из него вышли охранник Николай и Стас Герасимов. Охранник открыл заднюю дверцу, подал руку Наталье Марковне, затем помог вылезти генералу. Стас тут же подхватил отца под локоть и заботливо повел ко входу. Николай шел за ними и катил небольшой чемодан на колесиках.

Владимир Марленович выглядел так плохо, что на него невольно косились люди в толпе. Наталья Марковна чувствовала эти взгляды, и каждый больно царапал ей прямо по сердцу.

Стас был мрачен. Он шел, низко опустив голову, и слушал быстрый тихий монолог отца.

— Ты будешь сидеть здесь тихо и не высунешься, пока все не кончится. По ресторанам и барам не шляйся. О бабах забудь. Загорать и купаться можешь только на нашем пляже. От Николая — ни на шаг. Ты понял меня?

— Да, папа. Я понял. А если тебе станет совсем плохо? Как же я смогу оставаться здесь, если ты...

— Если помру, тебе сообщат, — сухо рявкнул генерал, — но ты все равно останешься здесь до тех пор, пока тебе будет угрожать опасность. Ты вернешься, только когда с тобой свяжется Михаил Евгеньевич и позволит тебе вернуться.

— Могу я хотя бы узнать, почему изменился номер моего мобильного?

— Потому что так нужно. И не вздумай никому звонить. Мама каждый день будет с тобой связываться.

— Папа, тебе не кажется, что весь этот спектакль с моим отлетом как-то уж слишком... — он осекся и покосился на отца из-под темных очков.

— Слишком — что? — Генерал остановился посреди людного вестибюля и тяжело навалился на сына. — Погоди. Давай передохнем. Очень кружится голова. Так что ты хотел сказать? Я тебя слушаю.

— Ну, понимаешь, все это почти смешно, слишком похоже на какой-то шпионский боевик. А то, что происходит со мной, очень серьезно. Ведь ты же сам не исключаешь, что история с водовозом на горной дороге могла быть не случайностью?

— Не исключаю, — кивнул генерал, — именно поэтому мы с Колей придумали этот спектакль. И ничего смешного нет. Не забывай, твой

171

отец закончил Высшую школу КГБ. Ладно, все, пошли. Да что с тобой?

Стас застыл, открыв рот. Генерал проследил направление его взгляда и ничего не увидел, кроме высокой, очень красивой блондинки в белом льняном платье. Она стояла совсем близко, прислонившись к колонне, и задумчиво курила, глядя прямо на них.

— Ёлки зеленые, ты совсем очумел?! — жалобно простонал генерал и тут же закашлялся, покачнулся. Рука Стаса ослабла, отец чуть не упал, но сзади подоспели Наталья Марковна с Николаем, подхватили его.

— Наташа, — прохрипел Владимир Марленович, вцепившись в ее локоть, — его надо показать психиатру. Он сумасшедший. Даже сейчас он не может спокойно пропустить ни одной красотки.

— Что? В чем дело? — испуганно спросила Наталья Марковна.

— Это не просто красотка, — прошелестел Стас, едва шевеля губами, — это она. Я узнал ее. С ней я встречался у старого цирка, она дала мне адрес Михеева, и потом я видел ее в кабине водовоза, — он легко, почти не касаясь пола, подлетел к девушке и схватил ее за руку выше локтя, — что тебе от меня надо? — закричал он ей в лицо так громко, что все, кто был поблизости, обернулись.

— Ву зет малад! — испуганно и возмущенно заверещала девушка. — Ю крези! Гет аут! Полис! — Она вырвала руку и оттолкнула его с такой силой, что он отлетел прямо на Николая.

Наталья Марковна заметила сразу двух полицейских, которые спешили на крик, и тихо охнула.

— Не волнуйся, Наташа, мы сейчас все уладим, — прохрипел генерал.

Охранник Николай между тем принялся церемонно извиняться перед блондинкой и объяснять на своем хорошем английском, что его друг плохо себя чувствует.

— Что случилось, мисс? — спросил полицейский офицер.

— Этот человек схватил меня, он маньяк, арестуйте его, — спокойно произнесла девушка по-английски и показала полицейскому свой тонкий голый локоть, на котором темнели следы от пальцев Стаса.

— Это ее надо арестовать! — крикнул по-английски Стас. — Она преступница, она на машине чуть не сшибла меня в пропасть! Есть протокол, есть свидетели. Я видел ее в кабине грузовика. Проверьте в своем гребаном компьютере, происшествие зарегистрировано, грузовик-водовоз, пять дней назад... Мать твою, какое сегодня число? — Он орал так громко, что вокруг стала собираться небольшая толпа.

— Будьте любезны, ваши документы, — отчеканил полицейский, — и ваши тоже, пожалуйста, мисс.

— Простите, мой сын плохо себя чувствует. Очень жарко, — обратился к полицейским генерал, — и вы, мэм, простите нас. Мы опаздываем на самолет.

Николай между тем спокойно извлек из нагрудного кармана Стаса его паспорт и протянул офицеру. Девушка достала свой, он был синего цвета. Генерал придвинулся к полицейскому и успел прочитать: Ирэн Гранье, гражданка Франции.

— Мы можем пройти в офис, — мягко предложил второй офицер, — если по вине этой молодой леди с вами произошел инцидент на дороге, мы можем все выяснить. Но если вы ошиблись, то нам придется привлечь вас к ответственности.

По радио объявили, что продолжается посадка на московский рейс. Наталья Марковна услышала слово «Москоу» и вцепилась в руку Стаса.

— Идиот! — прошептал генерал на ухо сыну. — Скажи, что обознался! Извинись сию минуту!

— Простите его, — твердил Николай, — с ним действительно произошел несчастный случай, был сильный шок, и до сих пор очень плохо с нервами. Не надо ничего выяснять, господин офицер. Это ошибка.

— Мисс, вы когда-нибудь водили по нашим дорогам трейлер, **который** возит воду? — тихо поинтересовался полицейский.

— Я не водила трейлер. Ни здесь, на Корфу, ни у себя во Франции, нигде и никогда, — холодно отчеканила девушка.

— Может быть, вы сидели в кабине рядом с водителем?

— У меня нет знакомых водителей грузовиков. У меня вообще нет знакомых на этом острове. Я здесь впервые. Еще вопросы?

— Нет, мисс. Извините.

Полицейский вернул паспорта. Девушка надменно удалилась, генерал еще раз громко извинился ей в спину. Она не обернулась и растворилась в толпе.

— Это была она, — тихо, безнадежно повторял Стас.

— Сынок, — мягко произнес генерал, — я понимаю, ты сорвался. Прошу тебя, успокойся, она совершенно посторонний, случайный человек. Она француженка. Да, возможно, кого-то она тебе напомнила, но нельзя же так!

— У нее фальшивый паспорт. Они меня достанут везде, я знаю.

— Стас, возьми себя в руки, — жестко сказала Наталья Марковна, — подумай наконец об отце. Все. Мы сядем и будем ждать тебя здесь, ты займешь очередь на регистрацию. Ты помнишь, что должен делать дальше?

— Не волнуйтесь. Я буду с ним, — подал голос Николай, — я все проконтролирую, — он увлек Стаса под руку к очереди, старики тяжело опустились в кресла в зале ожидания.

175

— Володя, ты совершенно уверен, что Стас ошибся? — тихо спросила Наталья Марковна.

— Я видел ее паспорт.

— А если правда фальшивый? Ты обратил внимание, с какой силой она оттолкнула Стаса? Не странно ли для такой хрупкой девушки?

— У нее французский акцент. Она француженка и действительно вряд ли могла находиться в кабине водовоза. Но если даже так, пусть она видит, как он улетает в Москву.

* * *

Эвелина спала крепко и посапывала. Сергей нашел в кабинете на кушетке большую вязаную шаль и укрыл ее. Она по-детски зачмокала во сне и с хрустом перевернулась на другой бок.

До прихода Плешакова осталось полчаса. Он взял лупу с фонариком, отправился в спальню и принялся разглядывать дыру в матрасе. Он не совсем понимал, зачем это делает. Вероятнее всего, матрас просто прожгли сигаретой. Но для этого надо было уронить ее ровно на середину кровати. Трудно представить позу, в которой курит человек таким образом, чтобы сигарета упала ровно в центр. К тому же сначала должна была затлеть простыня, она бы тлела долго, с сильным запахом. Синтетическая обивка оплавилась бы по краям, а она явно порвана. Но главное, произошло это совсем недавно, в противном случае кровать была бы застелена нормально и дыра спокойно пряталась бы под бельем и покрывалом.

Рыжая кайма более всего напоминала ржавчину. Казалось, кто-то проткнул тугую обивку толстенным ржавым гвоздем.

«Нет, пожалуй, таких толстых гвоздей не бывает, — подумал он, вглядываясь в неровное отверстие, — впрочем, не важно, чем проткнули, главное, кто и зачем».

Под обивкой был слой белоснежного синтепона, на нем тоже остался ржавый налет. Дыра казалась глубокой. Сергей не поленился лечь на пол и посветить фонариком в узкую щель под кроватью. Потом, стараясь не шуметь, чтобы не разбудить Эвелину, принялся двигать тяжелую громадину. Усилия его вскоре были вознаграждены коротким ржавым обломком арматуры и тремя крупными клочками черно-белой глянцевой фотографии.

В наступившей тишине до него донесся хриплый бой кабинетных часов. Он успел подвинуть кровать на место, спрятать свои трофеи в тумбочку.

В пять минут девятого заверещал домофон и бодрый голос охранника сообщил:

— К вам Плешаков Егор Иванович.

Пока он стоял в прихожей и ждал звонка в дверь, проснулась Эвелина, босиком вышла к нему и обхватила за шею:

— Солнышко, который час? — Ее горячие

177

губы прижались к его губам. Запах перегара еще не прошел. От долгого мокрого поцелуя Сергея спас звонок в дверь.

«Плешаков наверняка ее знает. Очень хорошо, что она здесь. У начальника охраны будет меньше оснований подозревать неладное. Правда, я понятия не имею, надо ли их знакомить», — пронеслось у него в голове, когда он открывал дверь.

— Какое счастье, что вы не женщина! — хрипло пропела Эвелина и протянула руку Плешакову. — Я вас узнала, мы, кажется, встречались. Только, пожалуйста, не надо слишком утомлять Стасика деловыми разговорами. Он еще плохо себя чувствует.

— Да, — небрежно кивнул ей Плешь, — я постараюсь. Здравствуйте, Станислав Владимирович. Еще раз простите, что беспокою вас. Где мы можем поговорить? — он покосился на Эвелину, которая продолжала висеть у Сергея на шее.

— Все-все, — она разжала объятия и, чмокнув Сергея в нос, сказала: — Если не возражаешь, я приму ванну. Обожаю твою джакузи, даже несмотря на чужие лобковые волоски.

— Тапочки надень, — проговорил Сергей ей вслед.

— Я не отниму у вас много времени, — улыбнулся Плешаков, проводив взглядом тощую длинную фигуру.

— Кофе? Чай? — любезно предложил Сергей, пропуская его в гостиную.

— Ничего не нужно, спасибо. Вы должны подписать несколько документов, — он уселся в кресло и выложил из портфеля тонкую пластиковую папку.

Сергей достаточно хорошо отработал почерк и автограф Герасимова. Полковник Райский заверил его, что показывал образцы профессиональным графологам, они одобрили его старания, но все-таки рука у него слегка дрогнула, когда Плешь достал из нагрудного кармана и протянул ему «Паркер» с золотым пером. Взяв ручку, он принялся читать документы и в первый момент ничего не понял.

— Здесь, как обычно, все в двух экземплярах. На русском и на английском, — объяснил Плешь.

Лихорадочно шаря глазами по строчкам, по многозначным числам, Сергей уговаривал себя не спешить и успокоиться. Под пристальным взглядом Плеши это было довольно сложно. И все-таки он успел понять, что перед ним лежат платежные документы. За партию компьютеров, полученную такого-то числа фирмой «Омега», оная фирма переводит банку «Фамагуста», который находится в Никосии, на Кипре, сумму в сто пятьдесят тысяч долларов США. На личный счет консультанта по закупленным образцам фирма «Омега» переводит семьдесят тысяч в тот же банк.

— Что-нибудь не ясно? — вежливо поинтересовался Плешь, и по его интонации Сергей понял, что Герасимов в подобных случаях ничего не читал, подписывал не глядя.

— Глаза болят, — признался он со вздохом, — простите, я сейчас, мне надо капли закапать, — он отложил ручку, кинулся в кабинет, плотно закрыл за собой дверь, схватил карандаш и на клочке бумаги нацарапал все цифры, которые успел запомнить. Спрятав бумажку в верхний ящик стола, он спокойно вернулся в гостиную. — Да, Егор Иванович, я готов.

Он принялся аккуратно ставить автографы Герасимова. Толстый мизинец Плеши, украшенный перстнем с печаткой, указывал ему нужную графу. Он не спешил, проверяя, правильно ли запомнил длинные ряды цифр, банковские реквизиты, номер личного счета консультанта и его имя.

Наконец все экземпляры были подписаны. Плешаков аккуратно сложил бумаги в папку и поднялся.

— Спасибо, Станислав Владимирович. Не буду вас больше утомлять. Отдыхайте, выздоравливайте.

Сергей проводил его в прихожую, держась за виски и мучительно морщась.

— Голова раскалывается, — пожаловался он, — какая это все-таки гадость, сотрясение мозга.

— Да, — сочувственно кивнул Плешаков, — неприятная вещь. Может, вам не стоит самому садиться за руль в ближайшее время? Давайте я пришлю вам шофера.

— Спасибо, — улыбнулся Сергей, — я как-нибудь сам. Не хочется чувствовать себя совсем уж инвалидом.

— Понятно. Значит, сегодня ночью вы сами встретите своих родителей?

«Оба-на! — рявкнуло в голове Сергея. — Мама с папой прилетают сегодня ночью. Я не мог не знать этого. Как он смотрит на меня, гад, как смотрит... Он сразу что-то почувствовал, но не подал вида? Или нет? Я становлюсь слишком мнительным. Райский сто раз предупреждал, что я сам не должен ни секунды сомневаться. Герасимов мог забыть о маме с папой? Да запросто!»

— Простите, что вторгаюсь в сугубо семейные дела, — продолжал Плешь, понизив голос, — но лучше бы вам их встретить, учитывая состояние Владимира Марленовича...

— А-а... — растерянно протянул Сергей, — что с ним?

Он тут же испугался, что опять ляпнул лишнее, но оказалось, все правильно. Плешь мрачно опустил голову и произнес еще тише:

— Я хотел поговорить с вами, но все не решался. Мне кажется, ваш отец болен. Тяжело болен. Он обсуждать это ни с кем не желает, ну вы знаете его характер. Я как-то попытался намекнуть, что у меня есть отличный врач, профессор, диагност, но Владимир Марленович категорически заявил мне, что здоров и во врачах не нуждается. Однако я вижу, он тает на глазах. Боюсь, что такое поспешное, незапланированное возвращение в Москву — совсем нехороший признак. Вы бы поговорили с ним, убедили пройти обследование.

— Да, — кивнул Сергей, — я попытаюсь поговорить и, конечно, встречу их, но, пожалуй, вы все-таки пришлите за мной машину.

— Разумеется. Самолет садится в три пятнадцать по московскому времени, в аэропорту надо быть не позже половины четвертого. Пробок ночью нет, в общем, к трем машина будет.

— Спасибо, Егор Иванович, — слабо улыбнулся Сергей, — значит, вы считаете, у папы что-то серьезное?

— Боюсь, да. Всего доброго.

Когда дверь за ним закрылась, Сергей кинулся в кабинет и проверил цифры, записанные на бумажке. Вроде бы все правильно. Несколько минут он тупо глядел на свои записи. Он не знал, сколько может стоить партия компьютеров, но сумма казалась слишком уж солидной. И гонорар консультанта поражал своей щедростью. Однако самым удивительным было имя консультанта. Его, а вернее, ее, звали Анжела Болдянко.

———

ГЛАВА ТРИДЦАТЬ ВТОРАЯ

Очередь к стойке регистрации бизнес-класса была совсем короткой. Стас не успел прийти в себя, и, когда девушка за стойкой стала задавать ему вопросы, он только открывал рот как рыба и слегка покачивал головой.

— Они пожилые люди, им тяжело стоять, сейчас они подойдут, — объяснял за него Николай, — одну минуту, — он лучезарно улыбнулся девушке, ткнул Стаса локтем в бок и зло прошептал на ухо: — Не стойте столбом, быстро уходите! Направо, к сортиру!

Стас растерянно огляделся и вдруг сорвался с места, сильно толкнул какую-то полную даму из очереди, не извинился, кинулся в нужную сторону.

— Хам! — хладнокровно заметила дама и поправила прическу.

Николай извинился за него, еще раз улыбнулся девушке и отправился за стариками.

Все эти хождения туда-сюда, по мнению генерала, должны были сбить с толку людей, которые могли следить за Стасом. Туалет находился в двух шагах от стойки регистрации. В сумке Стаса лежали шорты, темная футболка и джинсовая кепка с большим козырьком. Ему следовало, запершись в кабинке, снять свои белые штаны, яркую гавайскую рубашку, надеть шорты и футболку. Это существенно меняло его облик, а козырек кепки закрывал половину лица. Далее он должен был очень быстро перейти из зала отлетов в зал прилетов, оттуда окольными путями попасть на огромную платную стоянку у аэропорта. Там, в определенном месте, ждал его неприметный серый «Опель», который заранее взял напрокат Николай и оставил на стоянке.

Генерал не сомневался, что предполагаемые преследователи, увидев, как Николай садится в свою машину один, окончательно поверят, будто Стас улетел с родителями в Москву.

Когда обсуждался план, Николай заметил, что не так сложно узнать, зарегистрировался ли Стас, и тогда все усилия окажутся напрасными.

— Ну и отлично, — улыбнулся генерал, — пусть спрашивают. В представительстве «Аэрофлота» есть мой хороший знакомый, я его предупредил. А вообще, думаю, все это лишняя перестраховка.

Оказавшись в кабинке туалета, Стас несколько минут стоял, пытаясь отдышаться и прийти в себя. Сердце все еще колотилось у горла. Встреча с черноглазой светловолосой красавицей подействовала на него сильнее, чем все, что происходило раньше. Он в сотый раз прокручивал в голове свою поездку в Выхино, разговор с Михеевым и все яснее понимал, каким идиотом оказался. Это была инсценировка, от начала до конца. Мультик в институте славился своими шутками и розыгрышами. Он умел рассказывать анекдоты с серьезным лицом, он мог спародировать походку и мимику любого своего знакомого. Ему ничего не стоило сыграть спектакль перед Стасом. И ничего не стоило просчитать, что, увидев жуткую композицию с арматурой в своей спальне, Стас попытается найти его, Мультика. Собственную смерть от туберкулеза в архангельской больнице он тоже инсценировал. Заплатил врачу и стал покойником по всем документам. Где взял деньги? Достал!

За дверью звучали голоса, смех. Глубокий мужской бас говорил что-то по-немецки. Стасу хотелось орать и биться головой о белоснежную кафельную стену.

«Веревочка, да мыла кусок», — слышалось ему в сочетании невинных звуков немецкой речи.

Дверь сильно дернули.

— Занято! — завопил он по-русски и тут же опомнился, произнес уже спокойнее, по-английски: — Окъюпайд!

Опустив крышку унитаза, он сел и принялся расстегивать пуговицы рубашки. Руки сильно дрожали. Наконец ему удалось раздеться до трусов. Он бросил брюки на крышку, из кармана с диким звоном выпали ключи от «Опеля», который ждал его на стоянке. Вместе с ключами полетела на пол какая-то бумажка. Он поднял, развернул, и у него потемнело в глазах.

«Ты, Герасимов, глупая обезьяна, пойдешь в прокуратуру и чистосердечно во всем признаешься. Заявление напишешь, как положено. Тебе поверят, потому что есть свидетель».

Блокнотный листок в клеточку. Почерк крупный, четкий. Лиловые чернила. Никакой подписи и даже никаких конкретных угроз. Зачем угрозы? Без них все ясно.

— Сумасшедший ублюдок! — громко, жалобно простонал Стас.

В дверь постучали, и немецкий бас участливо спросил:

— Эй, с вами все в порядке?

Стас ответил, что все о'кей, принялся запихивать в сумку штаны, рубашку, быстро напялил на себя шорты, футболку, кепку, спустил воду, вышел из кабинки, перед зеркалом надвинул кепку до самых бровей.

По дороге к автостоянке и потом, на трассе, он тихо вскрикивал всякий раз, когда замечал светловолосую женскую голову. Трижды он чуть не врезался, и до виллы добрался совершенно взмокший, бледно-зеленый, трясущийся.

Николай ждал его, сидя в кресле в гостиной перед экраном телевизора. Только что начались вечерние новости из Москвы. Он уже успел связаться по телефону с представителем «Аэрофлота» в Керкуре. Самолет улетел два часа назад. За это время никто не поинтересовался, зарегистрировался ли на московский рейс Герасимов Станислав Владимирович.

Ни слова не говоря, Стас подошел к бару, достал бутылку виски, сделал несколько глотков прямо из горлышка, потом выключил телевизор, встал напротив Николая и медленно, спокойно произнес:

— Ты, Коля, как и мои родители, думаешь, я свихнулся? Бросился на какую-то француженку в аэропорту, устроил скандал. Со мной все нормально, Коля. Я хочу, чтобы ты понял. Я не псих, хотя на моем месте любой мог бы свихнуться. Девка в аэропорту — никакая не француженка. Я не обознался. Она сидела в кабине водовоза. Она встречалась со мной в Москве и отправила меня в Выхино. Там я увидел своего бывшего сокурсника Михеева и разговаривал с ним около двух часов. Это мне не приснилось. Он не умер, Коля. Он вышел из зоны и хочет, чтобы я признался в том убийстве, которое совершил он пятнадцать лет назад. Вот, посмотри. Эта сука умудрилась засунуть мне в карман. Читай, Коля.

Николай взял у него из рук сложенный вчетверо блокнотный листок, развернул и с жалостью посмотрел на Стаса.

Листок был совершенно чистым.

* * *

Как только Сергей снял трубку, чтобы позвонить Райскому, Эвелина вышла из ванной и опять повисла у него на шее.

— Куда ты звонишь, солнышко? — спросила она, прижимаясь губами к его уху.

— Хочу такси тебе вызвать, — ответил он, шаря глазами в поисках какого-нибудь телефонного справочника.

— Выгоняешь, да? — она отстранилась, оскалилась, взяла у него из рук трубку и положила на место.

— Линка, успокойся ты наконец, — поморщился он, — сегодня ночью прилетают родители. Отец болен. Я должен их встретить.

— Ладно, Герасимов, не напрягайся. Я сейчас оденусь, сварю кофе и поеду, — она опустилась на диван, закинула ногу на ногу. Она была в белом махровом халате Стаса, под халатом ничего. Полы распахнулись до пояса.

— Сама? Но ты же много выпила.

— И что теперь?

— Тебе нельзя садиться за руль, — вздохнул Сергей, отворачиваясь от ее наготы, — давай я все-таки вызову машину.

— Ой, да ладно, кофейком запью, и порядок. Мне не привыкать. Слушай, Стас, а почему ты так вяло отреагировал на мою новость? Я, можно сказать, вычислила, кто тебя достает, а тебе как будто по фигу?

Сергей включил чайник, распечатал пачку молотого кофе, нашел медную турку и тут же вспомнил, что дома у него была точно такая. Когда-то они продавались в магазине «Армения» на Пушкинской.

— Я забыл, ты пьешь сладкий? — не оборачиваясь, спросил он Эвелину.

— Нет! — рявкнула она. — Слушай, скажи мне честно, ты что, не веришь, что этот твой Михеев жив?

— А ты веришь? Ты же сама говорила, что Мазо был сильно пьян и к концу разговора понес полную околесицу. Если я тебя правильно понял, его рассказ о встрече с покойником в аэропорту и есть та самая околесица.

— Ты понял меня неправильно, Гераси-мов, — произнесла она медленно, почти по слогам, — думаю, тебе стоит встретиться с Петей. Я отлично представляю себе, как ты мог клеиться к той девочке. И если Михеев убил ее, приревновав к тебе, то он может запросто сейчас мстить. Запросто.

— Это не достаточный повод для такой изощренной мести, — тихо возразил Сергей, — Маша Демидова была самой красивой девочкой не только на курсе, но и во всем институте. Влюблены в нее были многие, и клеились многие. Она умела морочить голову, сводить с ума. Если даже предположить, что Мазо не обознался, Михеев жив и стал крупным авторитетом, все равно ничего не сходится. Вряд ли авторитет будет так рисковать. Сначала взрывчатка, потом убийство шофера. Нет, Линочка, должны быть более веские причины, чтобы авторитет пошел на такое.

— Ты забыл одну мелочь, — задумчиво отозвалась Эвелина, — ты ведь не врал мне, когда говорил, что шофер Гоша охранял зэков в зоне? Ну давай, врубайся, Герасимов! Это важно. Для тебя важно, понимаешь? Той ночью, в моей квартире, когда я спросила тебя, почему мы сбежали и не вызвали милицию, ты стал объяснять, что у тебя депрессия, а у Гоши могли быть собственные проблемы. Тебе не пришло в голову узнать, где именно он служил? Каких именно зэков охранял?

Ложка застыла у Сергея в руке. Кофейная пена угрожающе поднялась, но он в последний момент сдернул турку с электрической конфорки, не пролив ни капли. Огляделся в поисках чашек, не нашел и, обернувшись к Эвелине, растерянно спросил:

— Линка, ты не помнишь, где у меня стоят кофейные чашки?

Она успела запахнуть халат и окончательно протрезветь. Встала, гневно треснув суставами, зашла в кухонный закуток, оттолкнула его довольно грубо, открыла навесной шкаф, со звоном поставила на стойку две чашки и тихо рявкнула:

— Сядь, горе! Не мешайся под ногами!

Сергей послушно уселся в кресло у журнального стола. Она разлила кофе, села напротив, закурила и уставилась на него, прищурившись.

— Вот, у тебя сегодня был начальник охраны банка. Наверняка он знает биографию своего бывшего подчиненного. Тебе не пришло в голову спросить его о Гоше? О чем ты думаешь, Стас? Ты привык, что кто-то всегда решает за тебя твои проблемы? Ты маленький, да? Маленький беспомощный мальчик, которому мама приносит кушать, папа покупает очередную машинку в подарок, а взрослая идиотка тетя Лина вытирает сопли? Ну какого хрена ты набухал столько сахару в кофе? Я же сказала, что пью несладкий! — Она встала, вылила кофе в раковину и отправилась в ванную, шарахнув дверью.

Сергей остался сидеть. Голова у него гудела. Он лихорадочно пытался разложить все по полочкам. Обломок арматуры. Маша Демидова упала в котлован, и ее насквозь проткнуло арматурой. Это мог быть несчастный случай, но суд решил иначе. Михееву дали несоразмерно огромный срок... Фирма «Омега» перечисляет деньги на личный счет Анжелы Болдянко, документы подписывает Стас... Анжела близкая подруга Исмаилова. Генерал Герасимов тяжело болен, и это беспокоит начальника охраны, который приносит платежные документы на подпись Стасу. Михеев жив, он стал авторитетом.

Телефонный звонок заставил его подпрыгнуть в кресле.

— Почему вы до сих пор не включили мобильный? — прозвучал в трубке мрачный голос Райского. — Почему не звоните? Что у вас происходит?

Сергей услышал, как щелкнул замок в ванной, и ответил быстрым шепотом:

— Я не могу сейчас говорить. У меня Эвелина. Информации много, но сейчас не могу.

— У вас Эвелина? И как?

— Пока нормально.

— Ну поздравляю с дебютом.

Она вошла в комнату, полностью одетая, причесанная, подкрашенная, уселась на подлокотник его кресла, спокойно допила кофе из его чашки, потом обняла его, медленно заскользила губами по шее и прошептала:

— Хватит болтать, проводи меня.

— Ну что молчите? — тревожно спросил Райский.

— Ночью еду в Шереметьево встречать родителей, — громко ответил Сергей, — Егор Иванович пришлет за мной машину. Просто разламывается голова, я даже умудрился забыть, что сегодня прилетают родители. Спасибо, Плешаков напомнил, а то получилось бы совсем нехорошо. Я обязательно должен их встретить, папа плохо себя чувствует.

— Ну ладно, ладно, извините, — проворчал Райский, — я сам узнал полчаса назад, что они сегодня прилетают. Это не планировалось. Вот, как раз звоню предупредить. Значит, с Плешаковым вы тоже успели пообщаться?

— Он недавно был у меня, я подписал платежки.

— Какие платежки? Что вы несете?

— Да все как обычно, но вы же знаете, это не стоит обсуждать по телефону. Что вы говорите? А, да, шрамы остались, и довольно заметные. Боюсь, родители меня не узнают с такой рожей.

— Не волнуйтесь, генерала я предупредил.

— Ну, я надеюсь, он подготовит маму.

— Не надейтесь, — усмехнулся в трубке Райский, — мы договорились, что без моих специальных указаний вашей маме ваш папа ничего не скажет. Сейчас они в воздухе, и я никак не сумею с ним связаться.

— Да уж, будет сюрприз. Что? Точно не знаю, Егор Иванович не сказал, прилетают они вдвоем или их кто-то сопровождает.

Эвелина успела соскользнуть с подлокотника к нему на колени. Он прижал ее голову к плечу, чтобы она не услышала голос в трубке.

— Успокойтесь. Они прилетают вдвоем, — усмехнулся Райский, — не забудьте включить мобильный и поставить на зарядку. Как только она уйдет, позвоните мне.

— Да, обязательно.

— И не вздумайте ложиться с ней в койку, слышите, майор? Она вас моментально расколет и все полетит к чертям.

— Постараюсь. Всего доброго. — Положив трубку, он слегка отстранил Эвелину и, сморщившись, хрипло произнес: — Линочка, ты не помнишь, где у меня лежат лекарства? Мне срочно надо принять что-нибудь обезболивающее. Голова раскалывается, и тошнит.

— Да, ты бледный, — спокойно кивнула она и слезла наконец с его колен, — сейчас найду. Чтобы ты знал, аптечка у тебя в ванной. И советую поспать перед поездкой в аэропорт.

Она нашла для него анальгин с хинином, он выпил две таблетки, проводил ее, нежно поцеловал на прощание. Как только дверь за ней закрылась, он кинулся к телефону, чтобы перезвонить Райскому и рассказать все толком, по порядку. Но было занято. Полчаса не имели значения. Он отправился в ванную и впервые в жизни улегся в круглую джакузи.

Над головой мерцал голубоватый свет. Вода мягко бурлила и пенилась, он случайно нажал какую-то кнопку на бортике, и полилась тихая музыка. Глаза слипались. Он уснул так крепко, что не слышал настойчивой трели телефонных звонков.

Ему опять стала сниться Юлия Николаевна, они вместе шли по какому-то незнакомому городу, и дома вдоль всего их пути оказывались картонными декорациями, за которыми пряталась черная бесконечная пустота. Но сам он в этом сне был настоящим, живым со своим прежним, нетронутым лицом.

Проснулся только в половине второго ночи. Вода в ванной стала совсем холодной. Телефон уже не звонил. До встречи с родителями Стаса осталось меньше двух часов.

* * *

— Нам надо увидеться, — сухо отчеканил Райский, выслушав взволнованный рассказ Юлии Николаевны. — Вы можете сегодня вечером, часов в девять, выйти из дома?

— Что я скажу Шуре?

— Скажете, что вам позвонили из клиники, срочно вызвали на консультацию. Звонок я могу инсценировать.

— Я боюсь оставлять ее одну дома.

— Перестаньте. Мои люди дежурят у вашего подъезда круглосуточно, дверь в квартиру стальная. Вообще, Юлия Николаевна, не надо паниковать. Вы сами виноваты. Вам следовало давным-давно объяснить ребенку, что нельзя садиться в машины к чужим дядям.

Юля чувствовала сильное раздражение в его голосе и с тоской подумала, что ситуация вырвалась из-под его контроля. Поэтому он бесится. Он, полковник ФСБ, со всей своей мощной агентурой, аппаратурой и полномочиями, столько времени не может поймать террориста. Он не нашел ничего лучшего, как сотворить с ее помощью наживку, насадить на крючок живого человека вместо червяка. Но бандит пока не клюнул, а возможно, и вообще не клюнет, потому что он не безмозглый голодный карась.

Именно с этого она и начала разговор с полковником. Они встретились в маленьком подвальном ресторане неподалеку от клиники. Райский уже ждал ее за столиком, сверкая очками в полумраке.

— Объясните мне, почему этот ваш бандит творит, что хочет, а вы, такой умный и сильный, обвиняете в собственных проколах меня и моего ребенка? — спросила она, усевшись за столик.

— Здравствуйте, Юлия Николаевна. Что вы будете есть? — Он улыбнулся, снял очки, потер переносицу. — Здесь неплохо готовят свинину на вертеле. Очень рекомендую.

— Спасибо. Я не ем мясо на ночь, — сердито рявкнула Юля и достала сигареты, — и вообще я пришла не ужинать, а выслушать ваши объяснения.

— Ну в таком случае предлагаю стейк из семги, — Райский щелкнул зажигалкой, — я, честно говоря, страшно проголодался и с вашего позволения поем, — он кивнул официанту, заказал для себя свинину, для Юли семгу и еще кучу всяких закусок и салатов.

— Как дела у моего пациента? — спросила Юля.

— Нормально. А что конкретно вас беспокоит?

— Все! — Юля уставилась на полковника в упор, не моргая.

— Нет уж, давайте, пожалуйста, конкретней, — он растянул губы в неприятной улыбке.

Юля смутилась, почувствовала, что краснеет. Она собиралась говорить вовсе не об этом, вопрос о Сергее просто сорвался с языка, и реакция Райского ей совсем не понравилось. Хорошо, что в ресторане был полумрак и он не заметил, как запылали ее щеки.

«Дура! — рявкнула она про себя. — Быстро снимай тему. И больше с этим не лезь!»

— Я обычно держу своих пациентов под контролем в течение полугода, особенно после таких серьезных операций, — поспешно объяснила она. — А вообще, должна признаться, с тех пор как я познакомилась с вами, Михаил Евгеньевич, меня беспокоит все. Вы с удивительной легкостью манипулируете людьми, словно это не люди, а какая-нибудь аппаратура. Но за аппаратуру вы хотя бы несете материальную ответственность.

— Не несу, — Райский помотал головой и улыбнулся, уже нормальной, спокойной улыбкой, — я не несу ответственности. На это есть технический отдел. А вот за людей, которые задействованы в моей работе, я отвечаю. И за вас, Юлия Николаевна, и за вашего ребенка.

— О, это радует, — Юля загасила сигарету и тут же взяла следующую, — особенно радует, что в вашей работе задействован мой ребенок.

Официант принес закуски, и, пока он расставлял их, они молчали. Райский нацепил свои очки и сквозь них жег взглядом Юлю.

— Держите себя в руках, Юлия Николаевна, — произнес он чуть слышно, когда удалился официант, — у вас нет никаких оснований для паники. Просто вашей дочери не следовало садиться в машину к незнакомому человеку. Это азбука. У меня двое детей, мальчики, и я учил их подобным вещам лет с четырех. Еще раз повторяю, вам и вашему ребенку совершенно ничего не угрожает. Вот, попробуйте этот салат из каракатицы, давайте я положу вам. И успокойтесь, успокойтесь наконец. Я все держу под контролем.

— Но как же вы держите под контролем, если не можете его поймать?

— Да, нам очень сложно его поймать, — кивнул Райский и принялся за салат. — Наша структура довольно серьезно изменилась за последние десять лет. Наши спецподразделения разогнали в девяностом. В девяносто втором наши секретные архивы были разгромлены дудаевцами, мы лишились всей своей агентуры на территории Чечни. Мы практически безоружны. Внутри структуры несусветный бардак, лучшие наши офицеры уходят в частный охранный бизнес, а те, что остаются, становятся слабыми и ненадежными, поскольку получают мало.

— Ох, бедненькие, — покачала головой Юля, — так что же вы тогда беретесь за непосильный труд? Разве вы можете отвечать за свои действия в такой тяжелой ситуации?

— А некому больше, — вздохнул Райский и промокнул губы салфеткой, — кроме нас некому. Ладно, хватит. Ешьте салат. И не надо на меня бочку катить. Сами виноваты. Если бы вы более подробно посвящали меня в ваши задушевные беседы с Анжелой, мне было значительно легче оградить вас от неприятностей.

Юля отложила вилку и рассмеялась. Смех получился нехороший. Почти истерика. Райский подождал немного, потом протянул ей стакан воды. Она благодарно кивнула, выпила залпом и успокоилась.

— Вы же и так все слушаете, — произнесла она хрипло, — мы разговаривали в ее палате и в моей машине. Не сомневаюсь, что записано каждое слово. Или ваши «жучки» в таком же плачевном состоянии, как вся ваша система?

— Почему вы не сказали мне, что вам стало известно имя объекта «А»? — спросил он так тихо, что она не услышала, но поняла по губам.

Прежде чем ответить, она отправила в рот вилку с салатом из каракатицы, долго, старательно жевала, потом глотнула воды, промокнула губы.

— Видите ли, Михаил Евгеньевич, я предупреждала вас, что храню тайну исповеди, если мои пациенты делятся со мной своими переживаниями. Когда я стала свидетелем телефонного разговора Анжелы и мне показалось, что говорит она с преступником, который ее избил, я тут же вам сообщила об этом. Верно?

— Да. Вы сообщили. И очень мне этим помогли, — процедил Райский сквозь зубы, — но позвольте мне самому определять степень важности той информации, которую вы получаете от Анжелы.

— Как! Михаил Евгеньевич! Разве имя объекта «А» было для вас тайной? — широко улыбнулась Юля.

— Не надо, — он сморщился, как от зубной боли, — не надо придуриваться, Юлия Николаевна. Простите за резкость, но мы с вами не в игры играем. Вы должны сообщать мне все, абсолютно все, что узнаете от Анжелы. Тогда я могу гарантировать безопасность вам и вашему ребенку. В противном случае я ничего гарантировать не могу. Поймите наконец, сейчас вы —

единственный мой источник. Только с вами Анжела бывает откровенна. Только с вами. Уж не знаю, как вам удалось этого добиться. С ней работали такие профессионалы, до которых вам, уж извините, далеко.

Подошел официант с горячим. Райский тут же набросился на свинину, Юля ковырнула вилкой семгу. Было, правда, очень вкусно, но есть ей совершенно расхотелось.

— Я просто пожалела ее, — задумчиво произнесла она и достала очередную сигарету.

— Смешно, честное слово, — покачал головой Райский, — вы думаете, специалисты, которые с ней работали, были безжалостны?

— Думаю, да. Я не сомневаюсь в их профессионализме, сыграть они могут что угодно. Но есть вещи, которые человек чувствует кожей, печенью.

Несколько секунд Райский молча жевал. Потом щелкнул зажигалкой и дал ей прикурить.

— Вот и отлично, Юлия Николаевна, — произнес он наконец, — я очень рад, что у вас с Анжелой такое глубокое взаимопонимание. Когда вы планируете очередной осмотр?

— В пятницу. В двенадцать.

— Я надеюсь услышать от вас самый подробный отчет. Мы можем встретиться здесь же, часов в девять.

Принесли кофе. Юля, медленно помешивая сахар, не поднимая глаз, тихо спросила:

— Михаил Евгеньевич, а нельзя ли как-нибудь обойтись без меня в этой вашей сложной игре?

Он улыбнулся, накрыл ее руку своей сухой теплой ладонью и ответил так же тихо:

— Ну как же мы без вас, Юлия Николаевна? Вы уж потерпите, немного осталось, — он убрал руку, подозвал официанта, попросил счет.

Их машины стояли рядом. Некоторое время он ехал вслед за Юлиной «Шкодой», проверял, нет ли каких-нибудь постоянных попутчиков. Вместе они выехали на Садовое кольцо. Убедившись, что все нормально, Райский поравнялся с ее машиной, махнул рукой из окна и свернул к Сретенке.

ГЛАВА ТРИДЦАТЬ ТРЕТЬЯ

Стас Герасимов носился по дому и крушил все на своем пути. Сдирал шторы с окон и топтал их. Швырял на пол посуду, хрусталь, опрокидывал мебель. Домработница Оксана забилась в угол и тихо плакала. Николай сидел на бортике ванной, прижимал мокрое полотенце к разбитой скуле, сплевывал кровь и смотрел на собственный зуб, валявшийся на дне раковины.

— Симпатические чернила! — рычал Стас, измельчая подметками фарфоровые осколки очередного блюда на мраморном кухонном полу. — Эта сука писала симпатическими чернилами! Придушить гадов! Ненавижу!

Николай отложил полотенце, прополоскал рот, взял телефон и в очередной раз набрал номер грека Александроса Илиади, того самого, который совсем недавно привозил на виллу онколога.

«Что бы ни происходило, ты не должен допустить скандала, — говорил ему на прощание генерал, — по всем вопросам обращайся к Илиади, он поможет. Денег не жалей, давай ему наличные, причем не драхмы, а доллары».

Николай привык в точности следовать указаниям своего шефа и не стал вызывать скорую психиатрическую помощь, как предлагала перепуганная Оксана. Однако телефон Илиади не отвечал. Николаю надоело слышать протяжные гудки, он не сомневался, что грек давно спит, но все-таки решил предпринять последнюю попытку, прежде чем вновь ринуться в бой и попытаться скрутить Стаса.

От бесконечных гудков было щекотно в ухе, Николай решил, что все-таки скрутит Стаса, применив к нему пару болезненных и небезопасных приемов греко-римской борьбы, потому что других вариантов нет и надо как-то дожить до утра. Но тут в трубке послышался хриплый голос грека.

— Добрый вечер, господин Алексанрос, простите, что беспокою вас так поздно, но Владимир Марленович сказал, что я могу звонить вам в любое время.

— Я слушаю, кто это? — у грека был сонный, недовольный голос.

— Это Николай, мы с вами знакомы. Я звоню с виллы генерала Герасимова. У нас чрезвычайные обстоятельства и срочно нужна ваша помощь.

Поскольку помощь грека всегда щедро вознаграждалась, он тут же проснулся и бодро произнес:

— Да, что случилось? Что там у вас так шумит?

Николай объяснил ему, что генеральский сын не в себе, известие о болезни отца, а также собственные сложные проблемы тяжело подействовали на его психику. У него нервный срыв, и срочно нужна помощь психиатра.

— Но только вы понимаете, помощь конфиденциальная, — добавил он, — как можно скорей, и за любые деньги.

Грек ответил, что постарается, сделает все, что от него зависит, правда, достать психиатра в такое время суток, да еще конфиденциально, будет непросто. Но он постарается.

Окрыленный надеждой, Николай вновь ринулся в бой, и вскоре ему удалось скрутить Стаса без всякого вреда для здоровья, повалить на пол, замотать в нейлоновую штору, как в смирительную рубашку, и уложить на диван в гостиной.

Буйный больной продолжал дергаться, изрыгать хриплые ругательства, но спеленатый прочным нейлоном, как младенец, был уже безопасен, и Оксана решилась подойти к нему с бутылочкой пустырника и столовой ложкой. Других успокоительных средств в доме не оказалось.

— Эта сука писала симпатическими чернилами, — сообщил он Оксане, — паспорт фальшивый, никакая она не француженка. Она сестра Мультика. Они оба сумасшедшие маньяки, это у них семейное.

— Да, конечно, Станислав Владимирович, — Оксана всхлипнула, принялась капать настойку в ложку, сначала считала капли, но сбилась со счета, налила полную и поднесла к губам Стаса.

— Что это? — спросил он, подозрительно косясь на ложку.

— Пустырник, — объяснила Оксана, — чтобы вы успокоились.

Он шмыгнул носом, отвернулся от ложки и вдруг горько, по-детски заплакал:

— За что они меня так? Я не виноват. Я ни в чем не виноват.

— Конечно, Станислав Владимирович, вы совершенно ни в чем не виноваты, — кивнула Оксана, — выпейте лекарство, потом я водички принесу.

— Сначала сама, — он помотал головой, пытаясь увернуться от ложки.

— Что? — не поняла Оксана.

— Попробуй сама, — объяснил он, — я больше никому не верю.

Девушка вспыхнула, вопросительно взглянула на Николая, который сидел и курил тут же, в кресле.

— Не возражай, — тихо посоветовал он, — отхлебни немного.

Увидев, как Оксана поднесла ложку с темной густой жидкостью к губам и отхлебнула, Стас согласился выпить лекарство. Как ни странно, оно помогло. Он еще несколько раз горько всхлипнул, закрыл глаза и затих. Возможно, просто устал после долгого приступа буйства.

Оксана принялась за уборку, Николай помогал ей.

— Но вообще-то бывают такие чернила, — осторожно заметила она, сгребая веником осколки, — в игрушечных магазинах продаются. Вот у моей подруги сын как-то на дне рождения брызгал на всех из авторучки. Пятна жуткие, но исчезают бесследно.

— Да, есть такая дрянь, — поморщился Николай, ощупывая языком маленький острый обломок переднего зуба, — но называется по-другому. Симпатические чернила — это совсем наоборот. Их сначала не видно, а потом, после тепловой или химической обработки, они проступают.

— Ага, — кивнула Оксана.

Они продолжали убираться молча. Через час дом приобрел приличный вид, правда, почти не осталось посуды.

Вскоре у ворот просигналила машина. Явился Илиади в сопровождении пожилой полной женщины. Она говорила по-английски, Илиади не пришлось переводить печальный рассказ Николая. Врач выслушала молча, с каменным лицом, а затем спросила:

— Он пьет?

— Нет. Почти совсем не пьет.

— Это странно. То, что вы описываете, похоже на белую горячку. Раньше ничего подобного не случалось?

— Вроде бы нет, — Николай неуверенно пожал плечами.

— Лицо вам он разбил?

— Да.

— Боюсь, его надо госпитализировать. Он агрессивен и опасен. Сначала бросился на женщину в аэропорту, потом на вас. Мне придется сообщить в полицию.

Грек что-то зашептал ей на ухо. Она молча кивнула и встала.

— Ну хорошо, давайте я посмотрю его.

Все переместились к кушетке, врач села на край, осторожно притронулась к плечу Стаса и тихо, ласково спросила:

— Как вы себя чувствуете?

Стас завертелся в шторе, попытался сесть, Николай помог ему приподняться, но развязывать не стал.

— Что случилось? — заговорил он по-русски, хлопая мутными глазами. — Почему меня связали?

Николай вполголоса перевел.

— Не надо, я могу сам. Развяжи меня, — спокойно произнес Стас и вежливо добавил по-английски: — Пожалуйста, объясните мне, что здесь происходит?

— Вы вели себя агрессивно, разбили лицо вашему другу, — мягко объяснила врач.

— Я? Не может быть. Я ничего не помню, —

глаза его округлились, недоумение было совершенно искренним.

В гостиной повисла тишина. Все смотрели на бледное удивленное лицо больного и не видели в нем никаких признаков безумия.

— Хорошо, — прервала молчание врач, — расскажите, что вы помните. Как вы провели вечер и часть ночи?

— Я провожал родителей в аэропорт. Они улетели в Москву. Мой отец тяжело болен. Господин Илиади недавно привозил к нему онколога.

Врач перевела взгляд на Илиади, тот молча кивнул.

— Продолжайте, пожалуйста, — попросила врач.

— Несколько дней назад я попал в автокатастрофу, чуть не погиб. На горной дороге на меня ехал огромный грузовик. Мой мотоцикл сорвался в пропасть, я успел спрыгнуть в последний момент. Мне показалось, что в кабине грузовика рядом с шофером сидела женщина, которую я встречал раньше в Москве. Я знаю, что она опасная авантюристка. Сегодня в аэропорту я увидел похожую женщину, у меня сдали нервы, я бросился к ней и попытался выяснить, кто она. Но потом понял, что ошибся.

Врач вопросительно взглянула на Николая, и тот кивнул, мол, пока все правильно.

— Что было дальше?

— Я вернулся домой из аэропорта. Я очень

плохо себя чувствовал, во-первых, из-за отца, во-вторых, до сих пор не могу опомниться после недавнего стресса в горах. Пожалуйста, развяжите меня, мне очень неудобно так сидеть.

— Вы обещаете вести себя спокойно? — спросила врач.

— Да, конечно.

Она кивнула Николаю, тот неохотно принялся распутывать узлы. Оказавшись на свободе, Стас пошевелил плечами, потер запястья.

— Так что же было дальше? Что вы делали, когда вернулись домой из аэропорта?

— Не помню, — Стас тяжело вздохнул, — честное слово, какой-то провал. Наверное, я лег спать.

— Мне кажется, вы говорите неправду, — ласково заметила врач, — не волнуйтесь, никто не станет вас осуждать. Мы все понимаем, что вам пришлось пережить сразу два тяжелых психических стресса. Мы также понимаем, что вам неприятно и стыдно вспоминать свой срыв. Сейчас я сделаю вам укол, и вы успокоитесь. Хорошо?

— Да, конечно, — вяло согласился Стас и еле слышно пробормотал по-русски: — Убивать меня невыгодно. Этим сукам надо другое.

— Что он сказал? — тревожно спросила врач.

Грек плохо расслышал и перевел несколько иначе.

— Вам кажется, кто-то хочет вас убить? — спокойно поинтересовалась врач и открыла свой чемоданчик.

— В Москве меня действительно хотели убить, — объяснил Стас с тяжелым вздохом, — к днищу моей машины прицепили взрывное устройство. Потом застрелили моего шофера.

— Все правильно, — тихо подтвердил Николай, — именно поэтому он остался здесь и не улетел в Москву с родителями. Здесь он в безопасности.

Врач надломила ампулу, наполнила одноразовый шприц бесцветной жидкостью и попросила Стаса повернуться на бок. Укол оказался болезненным, и Стас застонал.

— Ну вот, сейчас вы спокойно заснете. Здесь вам ничего не угрожает. Вы хотите остаться на этом диване? Или вас проводить в спальню?

— В спальню, — кивнул Стас, — в свою комнату хочу, здесь неудобно мне.

— Я провожу его, — Николай поднял его за локоть, увел, уложил в постель.

— Очень больно? — спросил Стас, глядя на его разбитую скулу.

— Да уж. Чувствительно, — кивнул Николай, — главное, зуб жалко, — он оттянул губу и показал осколок.

— Ты уж извини, брат. Сорвался я, довели меня, — пробормотал Стас, пряча глаза, — больше такое не повторится. Ты греку и врачихе этой дай побольше.

Николай кивнул и накрыл его одеялом.

— И зуб себе вставь за мой счет.

Когда Николай вернулся в гостиную, Илиади и врач пили кофе, который успела сварить для них Оксана. Налить пришлось в антикварные серебряные чашки. Генеральша ими очень дорожила и не разрешала использовать, но другой посуды в доме не осталось.

— У него реактивный психоз, — стала объяснять врач, — не совсем типичные проявления, обычно люди в таком состоянии не буйствуют, а, наоборот, замыкаются в себе. Однако бывает по-разному.

— Так он нормальный или сумасшедший? — уточнил Николай.

— Как вам сказать? Это пограничное состояние. Вы умеете делать внутримышечные инъекции?

— Да.

— Ну, замечательно. Я оставлю вам эту коробку, здесь как раз четырнадцать ампул, и вот упаковка одноразовых шприцов. Будете колоть ему две ампулы в сутки, утром и вечером, в течение недели.

— И вы гарантируете, что это не повторится?

— Как я могу вам что-либо гарантировать? — она поджала губы. — В подобных случаях у нас принято госпитализировать, у вас, вероятно, тоже. Впрочем, будем надеяться, инъекции помогут. Пока он вполне дееспособен.

— Что значит — пока?

— Еще один стресс может привести к необратимым последствиям.

Прежде чем попрощаться, Николай отвел Илиади в сторону и тихо спросил:

— Сколько?

— Ну, учитывая нашу давнюю дружбу с господином генералом, хватит тысячи. Хотя, конечно, ситуация очень неприятная. Врач вынуждена идти на должностное преступление, скрывая от властей такой серьезный случай.

Николай достал бумажник из кармана своих просторных штанов, отсчитал тысячу долларов сотенными купюрами и протянул греку.

— Спасибо. Хотите, порекомендую вам хорошего стоматолога? — улыбнулся Илиади.

— Да, конечно.

— Позвоните мне завтра утром. Всегда к вашим услугам.

— Александрос, что это за люди? — спросила врач, когда они сели в машину, — Почему недвижимость в нашей стране покупают только русские уголовники? Неужели в России до сих пор нет законопослушных богатых граждан?

— Нет и не будет, — грустно усмехнулся старый грек, — впрочем, я, конечно, шучу. С чего ты взяла, что они уголовники? Совсем наоборот. Вилла принадлежит генералу ФСБ, заслуженному человеку. Он многое сделал для своей страны и, когда ушел на пенсию, получил возможность купить такую шикарную недвижимость на нашем острове.

Прежде чем завести мотор, он протянул ей деньги.

— Спасибо тебе, Катерина.

— Матерь Божья, сколько ты мне даешь? — испугалась она, пересчитав купюры. — Александрос, здесь же триста долларов!

— Молчание стоит дорого, Катерина, — улыбнулся Илиади, — если ты кому-нибудь расскажешь, где мы были сегодня ночью и что там произошло, у нас у всех будут неприятности. Надеюсь, ты сама это понимаешь.

— Никакие деньги не стоят такого риска, — проворчала Катерина, пряча купюры в карман.

— Правильно, — кивнул Илиади, — деньги всего лишь бумага, — я помогаю людям вовсе не ради денег. Не такой я человек, ты же знаешь меня. Просто я глубоко уважаю генерала, и мне очень жалко эту семью, на них свалилось сразу столько бед. У отца неизлечимый рак желудка, сын свихнулся.

— Он не свихнулся, он просто сорвался. Если все, что они рассказывали, правда, то реакция вполне адекватная.

— Ой, ну не надо, — хитро прищурился Александрос, — откуда ты знаешь? Ты всего лишь медсестра в клинике нервных болезней, никакой не врач. А так хорошо говоришь по-английски потому, что в вашей клинике постоянно работают по контрактам американские невропатологи. Но роль свою сыграла отлично, не подвела меня. Молодец.

Высокая белокурая девушка остановила машину на стоянке у пятизвездочного отеля на окраине Керкуры и вошла в холл.

— Добрый вечер, мадемуазель Ирен, — поздоровался с ней пожилой портье по-французски.

— Здравствуйте, Базиль, — кивнула она, — как поживаете?

— Мадемуазель, меня зовут Василиус, — смущенно улыбнулся старик.

— А по-французски Базиль. У меня в Лионе есть двоюродный дедушка, он очень похож на вас. Его тоже зовут Базиль.

— Передайте ему поклон от меня. Вот ваш ключ, мадемуазель.

— Спасибо. Спокойной ночи.

Она бросила ключ в сумочку, не стала вызывать лифт и направилась к тому выходу, который вел к пляжу.

— Мадемуазель Ирен, — окликнул ее портье, — если вы хотите искупаться перед сном, то лучше сделать это в бассейне. Море неспокойное, а у спасателей кончился рабочий день.

— В бассейне в воду добавляют хлор, он сушит кожу. Я люблю волны, — объяснила она, тряхнув длинными пепельными волосами.

Оказавшись на пустынном пляже, она скинула босоножки, оставила их на песке у лежака, босиком ступила на прохладные камни длинного пирса, медленно добрела до края, села, спустив ноги.

Гигантская алая луна висела у горизонта, окруженная огненными клочьями мелких перистых облаков. По лиловой воде к пирсу шла кровавая лунная дорожка. Волны с мягким шипением щекотали ее ступни. Ветер трепал длинные волосы, такие светлые и блестящие, что в них вспыхивали алые лунные блики.

Девушка достала из сумки мобильный телефон, набрала номер с международным кодом и, перекрикивая шум моря, звонко пропела в трубку:

— Привет, Юраша! Это я! Мне кажется, он остался здесь.

— Кажется, или точно? — спросил ее тяжелый хриплый бас.

— Я почти уверена. Пусть проверят, прилетел ли он в Москву. Могу спорить, что нет.

— Хорошо. На что мы спорим?

— На десять щелбанов по лбу.

— Это нечестно, — бас ласково рассмеялся, — мы всегда спорили на щелбаны, ты била меня всерьез, а я тебя понарошку. Ладно, рассказывай, как все прошло?

— Как всегда, на пятерочку.

— Что наш пациент?

— Пациент в агонии. Думаю, он уже скоро созреет. Он кинулся на меня в аэропорту с воплями. Я позвала полицию. В общем, всем было весело. Правда, сейчас мне кажется, что мы с

тобой немного перебарщиваем. Если он свихнет-
ся, его чистосердечное признание никто не станет слушать. А если повесится, тем более.

— Записку успела подложить?

— А как же! Скандальчик мне только упро-
стил задачу. Но все-таки он никуда не улетел.

— Ты узнавала, он зарегистрировался на рейс?

— Нет. Я решила, что после нашего бурного
общения в присутствии двух офицеров полиции этого делать не стоит.

— Ну, в общем, правильно. Ты на пляже?

— Да, а что?

— Купаться собралась?

— Естественно!

— Не вздумай, Ирка. Я тебе не разрешаю.
Слишком сильные волны. Я слышу. И вообще,
отправляйся в номер, ложись спать. У тебя был
тяжелый день.

— А вот хрен тебе, Юраша, — засмеялась
она и показала язык огненной луне, — сначала
я поплаваю, а потом уж пойду спать. Все, це-
лую, обнимаю, спокойной ночи.

— Позвони мне из номера перед сном! —
прогудел бас. — Я буду волноваться!

Она не ответила, отключила телефон, убрала его в сумку, встала, скинула льняное белое
платье, трусики, заколола длинные шелковис-
тые волосы, нагишом бросилась с пирса в гус-
тые алые волны и поплыла широким красивым
брассом.

Наталья Марковна вздремнула в самолете и проснулась, когда объявили посадку. Несколько минут она сосредоточенно вглядывалась в заострившийся профиль мужа. Голова его была запрокинута, рот приоткрыт, синеватые веки сжаты некрепко, и в тонких щелках виднелись белки глаз. Она перестала дышать. Убеждая себя, что просто застегивает на нем ремни безопасности, и больше ничего, она склонилась над ним, прижала ухо к его груди и выдохнула, только когда услышала тяжелый неровный стук его сердца.

— Володенька, проснись, мы садимся, — прошептала она ему на ухо.

— Да, да Наташа, я уже не сплю, — он открыл глаза, — попроси водички.

— Что, ты хочешь принять лекарство? Так скоро?

— Нет, не волнуйся. Просто попить.

Стюардесса, подавая воду, задержала любопытный напряженный взгляд на лице генерала и с профессиональной участливой улыбкой спросила:

— Вам нехорошо?

— Почему вы так решили? — зло рявкнула Наталья Марковна. — С ним все нормально!

— Наташа, — прошептал генерал и погладил ее по руке, — спокойней, спокойней.

Она понимала, что нельзя так болезненно

реагировать на те особенные взгляды, которые теперь постоянно преследуют ее мужа. Но ничего не могла с собой поделать. Она злилась на людей за то, что они так смотрели на Володю. На лице его все отчетливее проступала печать болезни. А если быть до конца честной, то печать смерти. Люди чувствовали это и смотрели, словно пытались прочитать в его воспаленных глазах, в складках смертельно бледной кожи жуткую, но жгуче интересную тайну.

В их взглядах было много всего — любопытство, недоумение, страх, брезгливость. Иногда, очень редко, — жалость. В обычном суетном потоке жизни лицо ее мужа напоминало им о том, о чем они помнить не желали и в общем правильно делали.

«Не смотрите, не надо! — кричала про себя Наталья Марковна. — Ничего интересного для вас, это к вам пока что не относится, вы здоровы, живы. Радуйтесь, и дай вам Бог, только не смотрите так!»

— Будьте добры, принесите простой воды, без газа. Эту я выпью сама, а моему мужу, пожалуйста, без газа, — попросила она девушку и заставила себя приветливо ей улыбнуться.

Самолет плавно шел на посадку. В иллюминаторе показались разноцветные огни, огромная россыпь огней. Наталья Марковна любила возвращаться в Москву ночью именно из-за этой таинственно мерцающей красоты. Каждый раз она припадала лицом к ледяному стеклу и на время посадки становилась маленькой девочкой, сладко волновалась, начинала верить, что дома ждет ее что-нибудь необыкновенно хорошее, щурилась на легкий иней, которым было покрыто снаружи стекло иллюминатора. Ей нравилось думать, что ледяное кружево надышали на стекла невидимые ангелы на высоте пять тысяч метров. Эти фантазии потом оседали на дно души, и сухой осадок был чем-то вроде топлива для дальнейшей жизни.

Громадина самолета дважды приближалась к земле, но разворачивалась и вновь шла вверх, огни терялись, таяли, за круглым окошком опять был мрак.

— Наташа, я должен предупредить тебя, — сказал генерал, склонившись к ее голове.

Она услышала только хриплый гул его голоса и не могла разобрать ни слова. У нее сильно заложило уши.

— Что, Володя?

— Там, в Москве... это важно, ты должна быть готова... Миша Райский придумал...

— Я ничего не слышу, — она сморщилась и помотала головой, — говори громче, не слышу.

Но громче он не мог.

Наконец самолет сел. По всем салонам прокатилась волна благодарных аплодисментов. Уши у Натальи Марковны были все еще заложены, голова гудела, в глазах застыла радужная рябь.

Обычно, как только садился самолет, Владимир Марленович включал свой мобильный, однако на этот раз забыл.

Полковник Райский рассчитал все по минутам, поставил его номер на автодозвон, чтобы напомнить, предупредить, избежать недоразумений, но тщетно.

В салонах нарастала суета, приятный женский голос по радио умолял всех оставаться на местах до полной остановки двигателей.

К их креслам подошла стюардесса, почтительно склонилась к генералу и произнесла в полголоса:

— Владимир Марленович, машина ждет на летном поле. Давайте я провожу вас.

Они ступили на трап, в лица им ударил теплый сильный ветер. В ярком свете прожекторов генерал сразу узнал черный «Мерседес», принадлежащей службе безопасности банка. От машины отделился мужской силуэт и направился к трапу.

Генерал и генеральша спускались медленно, тяжело. Первой шла Наталья Марковна.

Человек внизу ждал их, задрав голову. Половина его лица была закрыта темными очками.

— Володя, кто это? — тревожно спросила генеральша, повернувшись к мужу. — Почему он в очках?

Но генерал не услышал. Он через ее голову вглядывался в смутное лицо незнакомца, пытаясь понять, кого из ребят прислал Плешаков и почему этот парень ночью напялил темные очки.

Наталья Марковна опять повернулась к мужу, оступилась на нижних ступеньках трапа, чуть не упала. Человек в очках подхватил ее, другую руку подал генералу.

Гудели двигатели, отчаянно ревел ветер, ничего не было слышно. Сверху стали спускаться пассажиры, толпа приближалась. Человек в очках повел их машине. Наталья Марковна все еще сжимала его руку и пыталась заглянуть в лицо, но видела только круглый затылок, светлый ежик волос, угол скулы, черную тонкую дужку очков, причем видела довольно смутно, сквозь радужную ледяную паутину.

Он шел, повернувшись к генералу, и что-то объяснял ему на ухо. Генерал кивал в ответ. На полпути к «Мерседесу» они остановились. Генерал быстрым движением снял с него темные очки, и оба повернулись к ней, пытаясь что-то сказать, но уши ее все еще были заложены. Она помотала головой, растерянно пожала плечами, и вдруг сердце ее дико, страшно заколотилось, ноги стали ватными, она покачнулась и, заглушая ветер и рев двигателей, крикнула:

— Сережа!

ГЛАВА ТРИДЦАТЬ ЧЕТВЕРТАЯ

Ярчайший свет ударил в глаза, и Анжеле показалось, что все вокруг залито огнем, воздух в комнате густой, красный, ничего не видно и нечем дышать. Не открывая глаз, она потянула одеяло, чтобы накрыться с головой, но тут же оказалась вообще без одеяла, его сдернули.

— Все, хорош дрыхнуть! — прозвучал над ней знакомый, почти родной голос.

Она отвернулась от света и только тогда решилась разлепить веки. Над ней стояла Милка, единственная ее близкая подруга, которая жила у нее и вела хозяйство.

— С ума сошла? Что случилось? Который час?

— Четыре утра. Вставай, одевайся, быстро!

— Зачем? Я спать хочу! — захныкала Анжела и потянула на себя одеяло, но Милка крепко держала его в руках.

— Давай, давай, просыпайся, надо срочно ехать в больницу.

— В какую больницу? Совсем офигела?

Анжела привыкла к яркому свету и смогла разглядеть Милку. Она стояла, полностью одетая, причесанная и бледная до синевы. Глаза ее тревожно бегали.

— Швы у тебя разошлись, дура! — сообщила Милка, отбросила одеяло, подняла Анжелу легко, как ребенка, и поставила ее перед большим трельяжем. — Вот, полюбуйся. Хорошо, я заглянула к тебе, увидела.

Анжела тихо вскрикнула. Повязка была красной. Вишневые пятна проступали сквозь бинты. Она схватилась за лицо и тихо, жалобно застонала:

— Ой, мамочки, это же кровь! Ну почему, почему? За что?

— Кончай скулить, — скомандовала Милка, — да не снимай ты кофту пижамную, и так сойдет. В больницу едем, не на тусовку. Штаны только переодень, и что-нибудь сверху накинь. Давай, шевелись, машина уже ждет.

— Какая машина?

— Я такси вызвала, все, кончай болтать.

— Погоди, надо позвонить моему врачу, Господи, ужас какой, четыре утра... Дай телефон!

— Некогда, из машины позвонишь, — Милка кинула ей джинсы и огромную вязаную кофту.

Анжела покорно оделась, то и дело косясь на зеркало.

— Странно, мне совсем не больно, — пробормотала она, когда они входили в лифт, — погоди, ты телефон взяла?

— Взяла, все взяла, не волнуйся, — Милка похлопала по своей объемной сумке.

— Совершенно не больно, вообще ничего не чувствую, — растерянно повторила Анжела.

— Еще бы, — усмехнулась Милка, — ты же выпила две таблетки тазепама и две седуксена.

— А, ну да... конечно...

Анжела отчетливо вспомнила, как всего пару часов назад не могла уснуть, ее мучил зуд под повязкой и всякие кошмарные мысли. Она вышла на кухню. Милка сидела там, курила и читала какой-то любовный роман. Анжела пожаловалась ей на бессонницу, и верная подруга достала из аптечки таблетки, налила соку, чтобы запить.

Прямо у подъезда стоял скромный голубенький «жигуль».

— Долго собираетесь, девушка, минута простоя три рубля, — ехидно заметил шофер.

— Не бойсь, заплатим, сколько скажешь! — успокоила его Милка и втолкнула Анжелу на заднее сиденье, прикрывая ей голову ладонью, как это делают американские полицейские, усаживая в машину арестованных в наручниках.

— Дай телефон, я врачу позвоню, — попросила Анжела, когда «жигуль» сорвался с места.

— Ага, сейчас, — Милка принялась рыться в сумке.

— Девушка, — обратился к Анжеле шофер, — а чего с лицом-то у вас?

— Ничего! — рявкнула в ответ Анжела и повернулась к Милке: — Ну что ты возишься? Давай быстрей.

— Подожди, надо повязку твою перекисью увлажнить, чтобы не присохло.

Огни проезжающей машины осветили салон, и Анжела увидела у Милки в руках вместо телефона какую-то белую тряпку и маленький аптечный флакон оранжевого стекла. Прежде чем она успела что-либо сообразить, ей в нос ударил резкий запах хлороформа.

За полчаса до этого двух наружников, дремавших во дворе в машине, разбудил телефонный звонок, прозвучавший в квартире Анжелы Болдянко.

— Да что там такое, блин? — проворчал старший лейтенант ФСБ, потягиваясь и таращась на циферблат. — Ой, елы-палы, половина четвертого утра!

— Алло, слушаю, — ответил в квартире высокий женский голос.

— Людмила Борисовна? Доброе утро, диспетчер такси беспокоит. Машина подъехала, «Жигули», четверочка, голубого цвета.

— Спасибо, сейчас мы выходим.

— Людмила — это вроде домработница ее, — пробормотал сквозь зевоту старший лейтенант, — куда это они собрались на такси в такое время?

— Там «жигуленок» у подъезда, — заметил младший лейтенант, — голубая четверка, с антенной.

— Иди проверь, а я послушаю, что у них за базар, — старший лейтенант закрыл глаза и откинулся на спинку сиденья, пытаясь уворовать еще хоть минутку сна.

Младший неохотно вылез из машины.

— Влад, ну ты хоть фуражку надень, — не открывая глаз, окликнул его старший.

Они дежурили у дома Анжелы в машине ГИБДД, на обоих была милицейская форма. Их должны были сменить два часа назад, но что-то там не сложилось, смена все не приезжала. У наружников пошла вторая бессонная ночь, а поскольку совершенно ничего интересного не происходило, они расслабились. Им не пришло в голову, что предыдущего звонка, вызова такси, который должен был прозвучать не менее получаса назад, они почему-то не слышали.

Младший вернулся за фуражкой, пересек двор, заглянул в «жигуленок». На водительском месте дремал белобрысый парнишка лет двадцати. Наружник стукнул костяшками пальцев по стеклу. Парень растерянно захлопал белесыми ресницами.

— Младший лейтенант Мельников. Доброе утро.

— Скорей уж спокойной ночи, — кисло улыбнулся водитель.

— Нарушаем? — добродушно поинтересовался лейтенант.

— Вроде нет, — шофер растерянно огляделся, — а чего?

— А того. Стоим в неположенном месте.

— Так это, короче, пассажиров ждем, — парень зевнул во весь рот.

— Ты, что ли, такси? — точно так же зевнув, уточнил наружник.

— Ага, такси.

— Что за фирма?

— «Московский извозчик», короче, это, частная, — он протянул визитку, лейтенант прочитал: «Заказ такси по телефону» — и убрал ее в карман.

— Короче, ясненько, таксист. И куда ж твои пассажиры надумали ехать в такое время? — лейтенант взглянул вверх.

Окно на пятом этаже, седьмое справа, было открыто. Свет не горел. Кисейные шторы шевелились от легкого ветра. Двор и подъезд освещались яркими фонарями. Глядя из света в темноту окна, было трудно что-нибудь разглядеть. На секунду лейтенанту показалось, что за шторами кто-то стоит и смотрит прямо на него. Ничего странного в этом не было. Домработница Людмила могла выглянуть во двор, ей ведь только что позвонили и сообщили, что подъехала машина.

— Да вроде в больницу едут, — услышал он сонный голос шофера.

— Так чего ж они в такое время такси вызвали, а не «скорую»? — поинтересовался лейтенант и оторвал взгляд от окна.

— А я откуда знаю? Может, у них что-то такое, короче, не смертельное. Зубы болят или роды.

— Ну ладно. Документы покажи.

Парень достал права. Наружник переписал себе в блокнот все, что следовало переписать, и, покачав головой, заметил с усмешкой:

— Фамилия у тебя какая интересная — Дюбель. В школе небось дразнили?

— Нормальная фамилия, — обиженно нахмурился парень, — короче, это, штрафовать будете?

— Пока только предупреждение тебе, Дюбель Артем Васильевич. В устной форме. В следующий раз на пешеходный тротуар не заезжай, — лейтенант вернул права, — и смотри не усни за рулем, таксист.

— Не буду. И за рулем не усну, честное пионерское, — радостно пообещал парень, — короче, это, спасибо!

— На здоровье, — младший лейтенант козырнул и вернулся к своей машине. Старший пил кофе из крышки термоса.

Из приемника звучали голоса:

— *Давай, давай, просыпайся, надо срочно ехать в больницу.*

— В какую больницу? Совсем офигела?

— Швы у тебя разошлись, дура!

Старший допил кофе, налил еще и протянул младшему.

— Бедная девка, это, наверное, хреново, если швы расходятся, — вздохнул младший, когда из приемника раздался жалобный плач Анжелы:

— Ой, мамочки, это же кровь! Ну почему, почему? За что?

* * *

Лицо генерала казалось прозрачным в сиреневом свете прожекторов. Он выглядел не просто больным, а умирающим. Сергею приходилось видеть такие лица у тяжело раненных. Обычно когда кожа приобретала этот странный небесно-голубой оттенок и заострялся нос, человек уже ничего не соображал. Глаза закатывались, изо рта слышались тяжелые хрипы или бессмысленный бред. Но Владимир Марленович крепко держался на ногах, и голова его работала отлично. Он спокойно, толково пытался объяснить жене, кто такой Сергей, и уговаривал ее при шофере ни в коем случае не называть его Сережей.

Шофер заволновался, увидев, что вся троица остановилась посреди летного поля, и решил выйти из машины. Он шел к ним.

— Наташа, это двойник. Ему сделали пластическую операцию, он майор ФСБ, он живет

230

сейчас в квартире Стаса. Ты должна называть его Стасом, ты должна вести себя так, будто он твой сын.

Но Наталья Марковна смотрела на них обоих влажными, счастливыми, совершенно безумными глазами и повторяла:

— Конечно, Володенька, он наш сын, наш Сережа. Я всегда знала...

Шофер приближался. Генерал прижал голову жены к плечу и шепотом спросил:

— Как вас зовут, майор?

— Сергей, — растерянно ответил он.

Генерал посмотрел на него долгим странным взглядом и прошептал на ухо:

— Скажите ей, что вас зовут Станислав. Потом я все объясню, вам, ей, потом... Называйте нас мама и папа, не стесняйтесь.

— Здравствуйте, Владимир Марленович, — шофер подошел к ним вплотную, пожал руку генералу, — какие проблемы? Почему стоим? Добрый вечер, Наталья Марковна.

— Привет, Костя, — улыбнулся ему генерал, — посадка была очень тяжелая, мы устали и перенервничали. К тому же бессонная ночь. Все нормально.

— А что такое с Натальей Марковной?

Генеральша стояла столбом, вцепившись в руку Сергея, и на приветствие шофера не откликнулась.

— Мама не знала, что я попал в аварию, —

громко, спокойно объяснил он, — а сейчас увидела мои шрамы, — он поцеловал генеральшу в щеку, — пойдем в машину, мамочка, ветер сильный, тебя продует.

— Да, да.

Эта женщина ничего общего с его мамой не имела. Назвав ее так, он на секунду почувствовал себя предателем. Разыгрывать спектакль перед Эвелиной, перед Плешаковым было значительно проще. Встреча с родителями Герасимова далась ему неожиданно тяжело, хотя генерал был первым человеком в его новой жизни, перед которым не следовало притворяться.

Всю дорогу генерал и генеральша неслышно шептались на заднем сиденье. Иногда Сергей в зеркале встречался глазами то с ним, то с ней и заметил, что взгляд Натальи Марковны стал вполне осмысленным. Она быстро оправилась от шока. Сергей мог понять, что неожиданная встреча с двойником собственного сына может вызвать шок у любой матери. Наталью Марковну предупредить не успели, она измотана ночным полетом, у нее смертельно болен муж, и странно ждать от нее спокойных, адекватных реакций. Но почему она назвала его сразу по имени, оставалось пока загадкой.

До дома доехали быстро. По дороге позвонил Райский. Коротко сообщив ему, что родителей он встретил и все в порядке, Сергей повернулся и произнес:

— Папа, включи, пожалуйста, свой мобильный.

— Да, конечно, я совсем забыл, — отозвался Владимир Марленович.

Уже светало. Когда выходили из машины, Сергей заметил, что генералу совсем худо. Глаза глубоко запали, лицо вытянулось и разгладилось. Теперь он был похож на старенького ангела.

— Мне пора принять лекарство, — прохрипел он сквозь зубы и тяжело повис на руке Сергея, — ты поднимись к нам, надо поговорить.

Наталья Марковна молчала и не спускала с Сергея глаз. Взгляд ее был очень внимательным, напряженным и даже немного враждебным. Или это только показалось в неверном рассветном свете. Когда поднимались в лифте, генерал дал себе волю, сморщился, схватился за живот и еле слышно постанывал.

Квартира оказалась еще шикарнее, чем у Стаса. Но выглядела она вполне обитаемой, ничем не напоминала гостиницу и картинки из каталога. Генерал сразу отправился в свой кабинет, генеральша искоса взглянула на Сергея.

— Если вы курите, можете пройти на кухню, — произнесла она быстро, сухо и отправилась к мужу.

Курить действительно хотелось. Но сигареты он забыл. Впрочем, в кухне на просторном подоконнике лежала пачка «Парламента». Опять позвонил Райский. Полковника больше всего волновали бумаги, которые принес Плешаков на подпись Стасу Герасимову.

— Фирма «Омега» переводит сто пятьдесят тысяч в банк «Фамагуста», который находится в Никосии, на Кипре, — объяснил Сергей. — Это якобы оплата за партию компьютеров, полученных «Омегой». И семьдесят тысяч отправляются в тот же банк на личный счет консультанта по этим самым компьютерам. Я успел незаметно для Плешакова переписать реквизиты, номера, в общем, всю цифирь. Наизусть, разумеется, не помню, сообщу позже.

— И вы все это подписали? — перебил Райский.

— А что мне оставалось делать?

— Ладно. Дальше. Как зовут консультанта, тоже не помните?

— О, это трудно забыть. Консультанта зовут Анжела Болдянко.

В трубке повисла долгая пауза. Сергей слышал дыхание Райского, и ему на секунду стало жаль полковника.

— Михаил Евгеньевич, — произнес он, — наш подопечный не трогал объект «А» потому, что перекачивает через него деньги, причем не только общак, но, вероятно, и свои личные. Стаса преследует другой человек, и я почти догадываюсь, кто он. Вы ошиблись, полковник. Я понимаю, как вам это неприятно слышать. Зато теперь мы знаем то, что могли бы никогда не узнать, и ваш план все равно работает, пусть не так, как вы предполагали.

— Я не нуждаюсь в ваших утешениях, майор, — откашлявшись, рявкнул Райский, — когда вы сможете сообщить мне банковские реквизиты и номера счетов?

— Как только окажусь в квартире объекта «А», — с легкой усмешкой отчеканил Сергей.

— А где вы сейчас?

— У мамы с папой. Сижу на кухне. Кстати, генерал очень серьезно болен.

— Что с ним?

— Пока не знаю. Но выглядит ужасно.

— Да, я подозревал что-то в этом роде, — медленно произнес Райский, — вы не вздумайте рассказывать ему о бумагах, которые подписали.

— Конечно, я понимаю.

— Ни черта вы не понимаете, майор! Ладно. Сейчас уже утро. Когда вы уедете отсюда?

— Пока не знаю. Генерал хочет поговорить со мной.

— По возможности избегайте конкретных ответов. Только общие слова. Передайте генералу, чтобы позвонил мне, как только отдохнет, я сразу к нему приеду.

— Михаил Евгеньевич, проверьте, пожалуйста, существует ли воровской авторитет по кличке Палыч, — Сергей осекся, услышав шаги.

— Зачем это?

— Потом расскажу, позже, — прошептал он, прикрыв трубку, — я позвоню вам, как только смогу.

В дверях появилась Наталья Марковна. Увидев, что он разговаривает по телефону, она включила чайник, села на стул напротив Сергея, достала какой-то журнал, открыла и принялась листать. Вид у нее был растерянный.

— Но не раньше девяти утра, — отчеканил в трубке голос Райского, — я должен поспать хоть немного, чего и вам желаю. В десять вы должны навестить Анжелу. Непременно с цветами. Учтите, времени у вас будет мало, к двенадцати она едет в клинику на прием.

— Почему такая спешка? Не лучше ли перенести на вечер?

— Нет, — отрезал Райский.

Сергей попрощался, отложил телефон, загасил сигарету и тихо спросил:

— Наталья Марковна, как себя чувствует Владимир Марленович?

— Плохо, — вздохнула она, — он не спит, ждет вас, хочет поговорить. Я должна извиниться за сцену в аэропорту.

— Ну что вы, я понимаю...

— Отличная работа, — пробормотала она, впервые подняв глаза, — хотела бы я знать, какой вы на самом деле.

— Теперь вот такой, — Сергей виновато улыбнулся, — другим уже вряд ли буду.

— Эти рубцы — следы пластической операции?

— Да.

— Они останутся?

— Нет. Чуть позже врач их удалит.

— Вы будете теперь всегда жить вот с этим лицом?

— Вероятно, да.

— А волосы? Это ваш собственный цвет? — Она протянула руку и кончиками пальцев прикоснулась к его голове.

— Нет. Краска.

— Какие они у вас на самом деле?

— Белые.

— То есть вы светлый блондин?

— Я седой.

— Почему? Вам ведь мало лет. Кстати, сколько?

— Тридцать шесть.

— И почему же вы седой?

— Не знаю. Наверное, гены.

— Ваши родители живы?

— Нет.

— Жена? Дети?

Сергей молча помотал головой.

— Вы очень рискуете?

— Ну это уж как получится.

— Как ваше настоящее имя?

— Станислав.

— Неправда, — простонала она и сморщилась, словно от сильной внезапной боли, — я знаю, вас зовут иначе. Скажите, как. Мне не нужна фамилия, не нужно отчество, только имя. Пожалуйста!

Зазвонил телефон, она вздрогнула и схватила трубку.

— Да, Володенька, да, милый, сейчас мы идем. Нет, я хочу присутствовать при вашем разговоре. Почему? Ладно, я поняла, только не волнуйся, — она положила трубку и объяснила: — Кричать он не может, а встать ему тяжело. Вот, догадался позвонить по мобильному. Он просит вас зайти к нему. Он в спальне, по коридору направо. Вы хотите чаю, кофе? Может, вы голодны? Я могу приготовить что-нибудь на скорую руку.

— Спасибо. Если можно, чаю.

Сергей отправился к генералу, Наталья Марковна осталась на кухне и долго сидела, не шевелясь, повторяя про себя:

«Чужой человек. Посторонний. Сереженька».

ГЛАВА ТРИДЦАТЬ ПЯТАЯ

Николай проснулся первым, в десять утра. Оксана крепко спала, он не стал ее будить, тихо выскользнул из-под одеяла и отправился на пляж. Там он занялся гимнастикой, примерно полчаса приседал, отжимался, прыгал, потом еще полчаса плавал в море. Когда вернулся, застал Оксану на кухне, умытую, одетую. На плите шипела яичница с ветчиной, пахло кофе и поджаренным хлебом.

— Доброе утро, — он чмокнул ее в щеку, уселся за стол.

Она тронула пальчиком его разбитую скулу.

— Надо было сразу лед приложить, не было бы шишки.

— Да хрен с ней, с шишкой, — поморщился Николай, — зуб жалко. Свой ведь, живой, здоровый, ни пломбочки! А вдруг позвонит Марленыч, прикажет лететь в Москву срочно, и как я такой щербатый полечу? Вот если подумать, вроде бы фигня, один зуб, но передний, и сразу чувствуешь себя уродом.

— Лучше бы ты ему зуб выбил, — проворчала Оксана, — вообще вмазал бы ему хорошо. Для науки.

— Не могу.

— Что, на барское дитя рука не поднимается?

— Да не в том дело, — помотал головой Николай, — я бы этого урода по стенке размазал, если бы не Марленыч. Очень старика уважаю, очень. И генеральшу жалко. Они хорошие люди и как только вырастили такого, прости, Господи? Главное дело, любят его до безумия.

— Сын, — вздохнула Оксана, — никуда не денешься. Баловали они его, наверное, вот и получился обормот. Между прочим, есть придется со сковородки, ни одной тарелки не пощадил, японский сервиз грохнул весь, до блюдечка.

— Ты заглядывала к нему?

— Нет еще. Честно говоря, неохота.

— Правильно. Давай сначала позавтракаем спокойно.

Николай заметил на столе коробку с ампулами. Рядом валялась листовка-вкладыш.

— Ты собираешься его колоть? — спросила Оксана, снимая сковородку с плиты.

— М-м, — промычал Николай. Глаза его скользили по строчкам инструкции, — вообще, знаешь, этот препарат жуткая гадость.

— Ну а что делать, если он хулиганит? — пожала плечами Оксана. — Ешь, остынет.

Николай отложил листовку и принялся за яичницу. Несколько минут они ели молча. Вилки стучали о сковородку.

— Хозяевам будешь звонить? — спросила Оксана, наливая кофе.

— Пока не стоит. У них своих проблем хватает.

— И правильно, пусть хоть немного поживут спокойно. Хотя какое уж тут спокойствие? Ужасно жалко Марленыча. Думаешь, у него действительно рак?

— Скорее всего, — кивнул Николай, выпил кофе, встал, потянулся. — Ну ладно, пойду посмотрю, как там наш псих.

Оксана осталась мыть посуду. Николай вернулся через три минуты и сообщил, что псих спит.

— Он всегда дрыхнет до часа дня. Ну и не трогай его.

— Я пока к зубному смотаюсь.

— А если проснется без тебя и опять буянить начнет? — испугалась Оксана.

— Не начнет. Шелковый будет. Я его уже изучил. Он всегда так: нагадит, а потом хвост поджимает, лапки кверху. — Николай скорчил жалкую гримасу, Оксана весело рассмеялась.

— Ладно, езжай. Ты греку звонил?

— Пошел он, этот Илиади, вытянет из меня полтысячи баксов только за свое посредничество. В Керкуре стоматологов навалом.

Генерал сидел в огромном кресле, накрытый пледом. Выглядел он немного лучше.

— Как вы себя чувствуете, Владимир Марленович? — спросил Сергей.

— Никогда не задавай мне этот идиотский вопрос, ты же не хочешь, чтобы я стал рассказывать тебе, что у меня болел живот, а теперь лучше, поскольку я принял лекарство. Учти, сил у меня мало и я не собираюсь тратить их на пустую болтовню. Сядь, не маячь. И можешь расстегнуть куртку. Здесь жарко.

— Вовсе нет, — пожал плечами Сергей, — наоборот, прохладно.

— Ну покажи, покажи пушечку, — генерал подмигнул и хрипло усмехнулся: — Дай хоть в руках подержать, может, больше уже и не придется.

Сергей расстегнул куртку. Пистолет держался на портупее под мышкой. Генерал бережно взял его в руки.

— ПММ, девятимиллиметровый, — пробормотал он и провел пальцем по стволу, — модернизированный «Макаров». Двенадцатизарядный. Классика. Всегда любил оружие, но ни разу не пользовался. Представляешь, за сорок лет работы в органах — ни разу. — Он вернул Сергею пистолет. — А зачем ты его в аэропорт с собой потащил?

— Ну не оставлять же в квартире вашего сына, — пожал плечами Сергей.

— Ладно. Слушай меня внимательно. Первое, что ты должен сделать, — сходить к этой певичке и попросить у нее прощения. Скорее всего она пошлет тебя подальше и будет права. Но сделать это необходимо. Если повезет, она пошлет тебя не просто далеко, а к Исмаилову. Скажи, почему ты согласился?

— Не понял...

— Потерять собственное лицо на всю жизнь... Зачем тебе, майору ФСБ, это нужно? Только деньги или что-нибудь еще?

— Что-нибудь еще, — улыбнулся Сергей.

— Ну давай, выкладывай. Имею право знать, — генерал опять подмигнул и оскалил ровный ряд фарфоровых зубов. — Мишка небось приказал тебе лапшу вешать на мои старые уши?

— Ну что вы, товарищ генерал, никакой лапши, — успокоил его Сергей.

— Отвечай на поставленный вопрос, майор. Зачем тебе все это нужно?

— У меня с Исмаиловым личные счеты, — продолжая улыбаться, объяснил Сергей, — я очень хочу взять его живым.

— Размечтался, — насмешливо проворчал генерал, — хочет он Исмаилова живым взять. Кто ж вам с Мишкой это позволит?

— А мы спрашивать не будем, мы как-нибудь сами, потихонечку.

— Воевал там? — генерал слегка мотнул головой.

— Приходилось.

— Ты не один такой. Давай конкретней. Какие у тебя шансы? Почему ты думаешь, что их у тебя больше, чем у кого-то другого?

— Потому что я знаю его в лицо. Хорошо знаю.

— Как же умудрился? В плену у него был? Ладно, ладно, можешь не отвечать. К делу не относится. Главное, опыт у тебя есть и голова на плечах, в этом я не сомневаюсь. Мишка чувствует людей. Стало быть, ты своими глазами видел Шамиля Исмаилова. И он тебя, конечно, тоже? Ах, ну да... — Генерал хрипло, тяжело засмеялся. В груди у него клокотало, на лбу вздулись извилистые синие жилы. Смех перешел в приступ кашля.

— Владимир Марленович, может, какое-нибудь лекарство? — тревожно спросил Сергей.

Генерал отрицательно помотал головой и сквозь кашель отрывисто произнес:

— Мишка молодец, хитрый сукин сын. Воды дай.

Сергей увидел на тумбочке бутылку, накрытую стаканом, налил, поднес генералу. Тот сделал несколько глотков, откинулся на спинку кресла и минуту просто отдыхал после приступа.

— Хреново болеть, майор, — пробормотал он, не открывая глаз, — времени у меня совсем мало. А сил и того меньше. Слушай и запоминай. Я очень хочу, чтобы террорист Исмаилов был взят живым и предстал перед судом, как положено. Я от всей души желаю тебе, майор, под чутким руководством полковника Райского успешно осуществить вашу хитрую операцию. Мишке я заплатил много. Но не за то, чтобы он на мои деньги сделал себе генеральские погоны. Получит он их — буду рад за него, если не помру к этому времени. Но я ему платил за жизнь моего сына. Он у меня один. Знаю, что засранец. Но один. Ты понимаешь, о чем я толкую?

— Кажется, догадываюсь, — неуверенно кивнул Сергей.

— Тогда перескажи своими словами, — генерал схватился за подлокотники и весь подался вперед, мучительно морщась, — сядь-ка, дружок, во-от на этот стульчик и подвинься поближе, чтобы я глаза твои видел.

Сергей пересел, придвинулся к генералу так, что их колени соприкоснулись.

— Вы, Владимир Марленович, подозреваете, что вашего сына может преследовать не Исмаилов, а кто-то другой, — произнес он скорее утвердительно, чем вопросительно.

— А ты? — спросил генерал, обжигая его лицо невыносимым, каким-то потусторонним взглядом.

— Я тоже, — честно признался Сергей.

— Верить тебе можно?

— Вот это уж вам решать.

— Что же решать, когда выбора нет? — синие губы растянулись в тоскливой улыбке. — Ни выбора, ни времени. Месяц у меня. А может, меньше. Ну и что ты думаешь, кто этот другой, который травит моего сына, как зайца?

— Владимир Марленович, вам что-нибудь говорит имя Маша Демидова? — осторожно спросил Сергей.

— Знаешь уже, — задумчиво протянул генерал, — молодец. Есть какие-нибудь соображения на этот счет?

— По документам Юрий Михеев умер пять лет назад. Вы его помните?

— Видел только на суде, — сухо отчеканил генерал, — пытался помочь. Парню дали слишком много. Скорее всего там был просто несчастный случай.

— Почему, не знаете?

— Болтал лишнее. Вел себя как идиот. Но главное, отец девочки решил, будто им, родителям, станет легче, если парня засудят. Его, Артура Ивановича Демидова, советника МИД по культуре, очень, видишь ли, бодрила в тяжелые дни та бурная деятельность, которую он развил, чтобы Юра Михеев сел всерьез и надолго. А связи у советника были высокие. Но только мой Стас здесь совсем ни при чем. Если Михеев вышел из зоны живым, то мстить он должен прежде всего Демидову. Однако Артур Иванович скончался от инфаркта через год после гибели дочери.

— Владимир Марленович, где служил Георгий Завьялов до того, как попал к вам?

— Зачем тебе это?

— Я знаю, что он какое-то время был охранником на зоне.

— Воспитателем.

— Где именно?

— В Архангельской области. ИТК строгого режима. Номер не помню. Эту колонию называли «Наркоз». Туда из всех российских зон отправляли самых злостных рецидивистов и нарушителей режима. Объясни, зачем тебе? Думаешь, Гошу убили не просто так? Не для того, чтобы напугать и подставить Стаса?

— Просто спрашиваю на всякий случай, — пожал плечами Сергей.

— А следующий вопрос будет, не знаю ли я, где сидел Михеев? Да, последние четыре года заключения он отбывал именно там, в «Наркозе». И что из этого следует? — генерал говорил отрывисто и зло, если бы у него хватало сил, он бы сейчас кричал, орал на Сергея, как на бестолкового мальчишку. — Пистолет, которым был убит Гоша, подкинули в квартиру, где ночевал Стас той ночью, — добавил он уже спокойнее, — шофера убили исключительно для того, чтобы напугать и подставить Стаса. ИТК «Наркоз» и покойный Михеев тут совершенно ни при чем.

— Я читал материалы дела. Некоторые свидетели утверждали, будто Стас ухаживал за

Машей и Михеев приревновал ее именно к нему, — мягко заметил Сергей.

— Бред! — хрипло рявкнул генерал и стукнул кулаком по подлокотнику. — Ты сам понимаешь, что это полнейшая чушь. Тот, кто травит Стаса, слишком сильный и умный, чтобы хлопотать из-за ерунды. Мстить за собственную ревность пятнадцатилетней давности может только больной, маньяк. Но у маньяка не бывает таких широких возможностей и таких умных сообщников. Все, я устал. — Он откинулся на спинку кресла, руки его упали с подлокотников и безжизненно повисли, глаза ввалились, нос опять заострился.

— Владимир Марленович, — окликнул его Сергей, — вам плохо? Позвать Наталью Марковну?

— Нет, погоди... передохну и продолжим... самое важное я тебе еще не сказал. Слушай внимательно и не перебивай. Если тебе повезет, если ты возьмешь Исмаилова и выживешь, не оставляй моего засранца. Не оставляй до тех пор, пока его будут травить. Раскопай, кто. Найди. Помру к этому времени, Наташа заплатит, сколько пожелаешь. Найди. Выясни все и устрани опасность. Считай, что слышишь сейчас последнюю волю умирающего. Что бы ни приказал тебе Мишка потом, когда все кончится, сделай это, майор, если, конечно, сам выживешь.

— Я постараюсь, Владимир Марленович.

— Да. Постарайся. Все, не могу больше. Зови Наташу. Нет, стой, тебя правда зовут Сергеем? Это твое настоящее имя?

— Да.

— Когда вы сидели на кухне, Наташа спрашивала, как тебя зовут?

— Да. Очень настойчиво.

— И что ты ответил?

— Я назвался Станиславом, как вы просили.

— А она?

— Не поверила.

Генерал уронил голову на грудь, закрыл глаза, и Сергею показалось, что старик уснул или потерял сознание. Он встал и уже собрался звать генеральшу, но услышал хриплое, неясное бормотание и вернулся к креслу.

— Ну ладно, скажи ей правду, она вроде бы уже успокоилась, — тяжело, на выдохе простонал Владимир Марленович, — черт, никогда не верил в судьбу. Впрочем, какая тут судьба? Просто совпадение. У Стаса был брат, близнец, родился первым, и почти сразу умер. Наташа все не может его забыть, до сих пор любит, как живого. А младенец и часа не прожил. Мы успели только подержать на руках и дать имя. Знаешь, как назвали? — Он с мучительным усилием поднял голову: — Сережей!

ГЛАВА ТРИДЦАТЬ ШЕСТАЯ

Николай вернулся на виллу только в половине третьего. В доме стояла тишина. Оксану он нашел на балконе второго этажа. Она дремала в шезлонге под открытыми лучами солнца. На ней был яркий купальник. На полу валялся какой-то глянцевый женский журнал.

— Подъем! — Николай положил руку на ее раскаленное плечо. — Вставай, красавица, сгоришь.

— Ой, Коленька, привет, — она открыла глаза, — как ты быстро! Покажи зубик.

— Пока рано. Еще придется раза три съездить. Врач хороший попался, но любопытный до ужаса. Привязался ко мне, мол, кто же вас так разукрасил? Обратился ли я в полицию? Фарфоровая коронка стоит недешево, и виновные должны компенсировать убытки.

— Вот уж это верно, — Оксана многозначительно поджала губы, — и что ты сказал врачу?

— Ну, стал ему песни петь, будто нырнул и налетел на подводную скалу.

— Поверил?

— Не знаю. Ну как ты здесь? Все спокойно? Я, когда уехал, вспомнил, что надо было ему укол сделать, но уж не стал возвращаться. Не буянил он больше?

— Не-а, — помотала головой Оксана, — вроде тихо.

— Что значит — вроде? Ты к нему хоть раз зашла?

— Ну зашла, зашла, — Оксана обхватила его руками за шею и притянула к себе, — он спит, — прошептала она и по-кошачьи зажмурилась.

— Погоди, он что, вообще не вставал? — Николай тревожно взглянул на часы.

— Может, и вставал, в туалет например, — Оксана поцеловала его в краешек рта, — Коленька, я щи сварила, с говяжьей косточкой, как ты любишь. Ну его к лешему, давай с тобой пообедаем.

— Ты разбудить его пыталась, — Николай расцепил ее руки, — подходила к нему хоть раз за это время?

— Ну что ты так разволновался, — Оксана лениво поднялась, потянулась. — Я же сказала, в комнату заглядывала. Зачем мне к нему подходить? Как говорила моя бабушка, не буди лихо, пока оно тихо.

Но Николай ее уже не слышал, он тяжело затопал по лестнице на первый этаж. Оксана, накинув халат, вяло поплелась за ним.

Когда она вошла, Николай стоял у скомканной постели, широко расставив ноги, и держал в руках легкое вязаное покрывало. На постели были навалены подушки. На полу валялось теплое запасное одеяло.

— Ой, батюшки! — Оксана прижала ладонь ко рту. — Коленька, миленький, я... Прости меня, я честно ничего не слышала, — она опустилась на стул и горько заплакала.

— Ладно, все, кончай реветь, — рявкнул Николай, — если бы ты слышала, могло быть еще хуже.

— Что? Почему?

— Да потому, что они бы тебя либо грохнули, либо с собой забрали.

От этих его слов Оксана задрожала, чуть не упала со стула, но удержалась и запричитала тонким голосом:

— Что ты такое говоришь, Коленька? Зачем ты меня пугаешь? Мне и так страшно, ой, мамочки, я боюсь, я не могу!

Но он как будто не услышал ее, принялся осматривать комнату, бормоча себе под нос:

— Блин, как они могли попасть на виллу? Я же все запер. Окно исключается, там пропасть. Если только по канату... Но тогда все равно надо выходить через дом, через ворота. Не потащат же они его, связанного, по канату прямо в открытое море? А может, у них была лодка? Нет, ерунда! Окно на высоте пятидесяти метров. Скала совершенно отвесная. Профессионал может подняться и спуститься, но стащить здорового мужика, связанного или без сознания — это вряд ли. Значит, все-таки через дом? Но они не открыли бы ворота никакой отмычкой. Или у них дубликаты ключей? Как же удалось сделать слепки? Когда? Пульт от гаража я взял с собой. Через забор невозможно, сработает сигнализация, полиция здесь будет через десять минут. За десять минут не успели бы. Да замолчи ты наконец! — он резко развернулся к Оксане.

Лицо у него было такое, что она тут же затихла и вжалась в спинку стула. Несколько секунд оба молчали.

— Коля, что ты на меня так смотришь? — прошептала она еле слышно.

— Ты ключи не теряла? — спросил он деревянным голосом.

— Нет... я точно помню, нет.

— Ну а на пляже, когда купалась, могли они остаться в твоих вещах на берегу?

— Коленька, — всхлипнула она, — я же на наш пляж хожу, там чужих не бывает. И ключи я с собой никогда не брала, потому что кто-нибудь обязательно дома, и мне не нужно...

Он подошел, присел перед ней на корточки, сжал ее руки и, глядя на нее снизу вверх, заговорил тихо и ласково, словно утешал плачущего ребенка:

— Оксаночка, лапушка, никто ничего не узнает, я тебя не выдам, только скажи, кто они и куда могли его увезти? О чем ты с ними говорила? Ну не бойся, малышка, я тебя прикрою, клянусь.

— Коля... — прошептала она и зажмурилась, чтобы не видеть его спокойного страшного взгляда.

— Они тебя напугали, пригрозили, заставили, — продолжил он, нежно поглаживая ее ледяные пальцы, — я не верю, что ты сделала это за деньги, просто ты очень испугалась, правильно? Но теперь я с тобой, ты ничего не бойся, только расскажи, кто они и о чем с тобой говорили, какая у них машина? В котором часу все это случилось? Ты должна была с ними связаться и сообщить, что я уехал. Каким образом? По телефону? Дай мне номер!

Оксана широко открыла глаза, несколько секунд смотрела на него так, словно увидела впервые в жизни, и вдруг вскочила, резко выдернула руки и произнесла совсем другим голосом, громким и хриплым:

— Дурак! Ну дурак! Оглядись, принюхайся, — она подошла к раскрытому шкафу, присела на корточки. — Вот, смотри, нет его любимой рубашки, синей, шелковой. Я ее позавчера утром погладила и повесила сюда. Нет джинсов, двух футболок. И еще двух рубашек, — она принялась по-хозяйски рыться на полках и в ящиках, приговаривая: — Трусы четыре пары, плавки красные с зайчиками, носки пять пар, ботинки замшевые летние, набрюшник замшевый, сумка красно-коричневая, большая, а вот тут у него лежал сверток с деньгами, толстенький. Сколько было, не знаю, не считала. — Оксана резко поднялась и развернулась, — ну что ты застыл? Принюхайся! Чувствуешь, пахнет «Гуччи!», до сих пор пахнет. Как ты думаешь, если человека похищают, он станет выливать на себя полбутылки туалетной воды? И телефона нет вместе с зарядником. И паспорта наверняка нет.

Николай вздрогнул, как будто проснулся, подошел к Оксане, обнял ее, прижал к себе и прошептал:

— Прости меня, Оксанка, прости, я кретин! — Он достал из кармана свой мобильный. Новый номер Стаса был внесен в память. Но механический голос сообщил ему по-английски, что абонент временно недоступен.

* * *

Голубой «жигуленок» мчался по проспекту Вернадского в сторону кольцевой дороги. В начале пятого утра проспект был пуст, никто на хвост «жигуленку» не сел, и белобрысый водитель принялся весело насвистывать. На возню на заднем сиденье он совершенно не обращал внимания.

От фторотана, которым была пропитана салфетка, Анжела отключилась почти сразу, не брыкалась, только выгнулась дугой и тут же обмякла в сильных руках Милки. Эта гадость действовала сильнее хлороформа, но воняла так же. Передние окна были приоткрыты, приторный тяжелый дух быстро выветрился, только грязная повязка на лице Анжелы все еще пованивала.

Милка знала, что у нее не больше пяти минут, потом дорогая подруга очнется и справиться с ней будет сложно. Трясущимися руками она пыталась попасть подруге в вену, но все не могла, опыта не было.

— Слушай, притормози, встань куда-нибудь на три минутки, а? — обратилась она к шоферу.

— На фига?

— Мне надо ее уколоть как можно скорей.

— Ну и коли, кто тебе мешает?

— Не могу на ходу. Остановись, она же сейчас очухается, — шепотом крикнула Милка, чувствуя, как Анжела шевельнула рукой.

«Жигуленок» прижался к обочине. Анжела застонала и открыла глаза. Милка до крови царапнула ей локтевой сгиб иглой.

— Что? Что ты делаешь?! — прохрипела Анжела, резко вырвала руку, развернулась и дернула дверную ручку. Дверь, конечно, была заблокирована. Она попыталась поднять рычажок, но не успела. Милка, выронив шприц на пол, хватила ее за локти.

— Тихо, тихо, не дергайся, хуже будет, — бормотала она, выворачивая ей руки и пытаясь ногой нащупать шприц под сиденьем.

— Не будет хуже, некуда хуже! Пусти, Милка, зачем тебе это? — ошеломленно повторяла Анжела, пытаясь освободиться.

Милка продолжала держать, но ее трясло все заметнее, по щекам катились слезы.

— Ты сама виновата! — крикнула она. — Думаешь, приятно мне было слышать, как ты называла меня домработницей? Думаешь, так интересно греться в лучах твоей славы? Я жить хочу, свою квартиру хочу, машину, мужа. Они сказали, если я откажусь, они нас обеих живьем в бетон закатают, ты сама знаешь, они могут, ты...

Шофер между тем опустил спинку сиденья, немного развернулся, рука его взлетела, описала короткий полукруг и совсем легонько, ребром ладони, ударила Анжелу по шее. Она тут же обмякла и ткнулась лбом в стекло.

— Вот теперь коли, быстро! — скомандовал шофер.

— Слушай, знаешь, давай, может, я не буду, а? Ну куда она денется? — быстро, возбужденно заговорила Милка. — Давай так, я вылезу, а ты ее довезешь как-нибудь, она ведь слабенькая, довезешь, не бойся. Бабок никаких мне больше не надо. Аванс я получила, и спасибочки. Молчать буду, как дохлая рыба, мамой клянусь. Ну не могу я, понимаешь, не могу! У меня шприц упал, он теперь нестерильный, и вообще, неизвестно, как на нее подействует такое сильное снотворное, она ведь вам живая нужна, правда? — слезы текли по Милкиным щекам. — Я не представляла, что так все будет. Одно дело красной краской повязку измазать, поднять, одеть, и совсем другое... — она осеклась, потому что прямо в лоб ей уперлось короткое холодное дуло пистолета.

— Коли! — скомандовал шофер и щелкнул предохранителем.

— Ага, ага, — прошептала Милка.

В сумке у нее имелась еще пара шприцов и целая коробка ампул. Руки перестали трястись, она аккуратно выпустила пузырьки воздуха и почти сразу попала в вену. Шофер убрал пистолет. «Жигуленок» сорвался с места и вскоре пересек кольцевую дорогу.

* * *

Представитель «Аэрофлота» в Керкуре перезвонил Николаю через полтора часа и сообщил, что ни на один из московских рейсов Стас Герасимов билетов не покупал.

— Может, он полетел куда-нибудь еще? В Петербург, в Никосию? — спросил Николай.

— Нет. Я проверил все, — ответил чиновник.

Николай поблагодарил, положил трубку, но тут же опять схватил ее.

— Ты все-таки решил звонить в полицию? — осторожно поинтересовалась Оксана.

— Нет. Марленычу. — Николай начал набирать код России, но Оксана вырвала у него телефон:

258

— Погоди. Успеешь. Эта новость совсем доконает старика.

— Я обязан сообщить, — мрачно помотал головой Николай.

— Вот прямо сию минуту? — прищурилась Оксана. — А если их светлость вернется сегодня вечером или завтра утром? Он ведь никуда не улетал. Он просто решил смотаться в Керкуру, оттянуться, на кораблике поплавать, по бабам сходить, в ресторане пожрать. Ты же его знаешь. Сейчас ты позвонишь смертельно больному Марленычу и доложишь своим траурным голосом, что Стас исчез в неизвестном направлении. Чего ты этим добьешься? У старика инфаркт случится, и все. Ему и так совсем немного осталось. Каждая спокойная минутка для него на вес золота. Другое дело, если бы Стаса правда похитили. Тогда да, надо доложить. Не спорю. Но он ведь сам удрал. Сам. Красиво одетый и сильно надушенный своей любимой туалетной водой. Ты же не мог его связать и приковать наручниками к трубе в ванной!

— Не мог, — кивнул Николай. Он взял у нее из рук телефон, положил на место, обнял ее и пробормотал: — Наверное, ты права. Может, правда, нагуляется и вернется? Подождем до завтра.

— Жалко Марленыча, — вздохнула Оксана, — слушай, а кому-нибудь другому нельзя позвонить?

— Кому? Плеши нельзя, Марленыч просил его не посвящать. А кому еще?

— Когда все началось, приходил полковник, — медленно проговорила Оксана, — такой длинный, тощий, в очках. Меня попросили при нем рассказать о фотографии в журнале, где Стас был снят с этой певицей, Анжелой, и даже подпись заставили вспомнить. Полковника зовут...

— Райский! — радостно крикнул Николай. — Ну конечно!

В это время Стас Герасимов ел тигровые креветки и пил легкое белое вино в вагоне-ресторане скоростного экспресса «Салоники—София». Давно у него не было такого отличного аппетита и такого бодрого настроения. Железная дорога шла вдоль моря, он смотрел в окно и вспоминал все подробности сегодняшнего утра как кошмарный, но уже далекий сон.

После укола, который сделала ему врачиха-гречанка, Стас впал в какое-то мутное тяжкое полузабытье. Он лежал, тупо уставившись в потолок, и совершенно ни о чем не думал. У него не было ни сил, ни охоты ворочать мозгами. Дверь в комнату осталась приоткрытой, до него некоторое время доносился легкий звон, приглушенные голоса. Оксана и Николай догребали остатки посуды, потом пили чай. За окном уже светало. Море, шумевшее всю ночь, к рассвету успокоилось. Стас закрыл глаза, попытался поспать немного, но почему-то не смог.

В доме между тем стало тихо. Первой мыслью, вяло шевельнувшейся в голове, был вопрос, отправились они спать вместе или каждый в свою комнату.

За этой мыслью поползла следующая, уже более длинная, сложная и активная: «Вот, я здесь лежу, а они, прислуга, шестерки, развлекаются и чувствуют себя хозяевами в моем доме. Я псих, они нормальные. Тупой ублюдок Коля скрутил меня, как психа. Какое он имел право?»

Во рту пересохло, язык распух и стал шершавым. Страшно хотелось пить. Он попытался встать, но тело не слушалось. Руки и ноги свело так, словно он сразу всего себя отлежал.

«Что же мне вколола эта докторша?» — третья его мысль оказалась совсем ясной и тревожной. Он догадался, что докторша была не кем иным, как психиатром, и, значит, вколоть ему она могла какой-нибудь психотропный препарат, нейролептик типа аминазина или галоперидола. Он вспомнил, как час назад услышал кусок разговора из гостиной. Докторша спросила Николая, умеет ли он делать внутримышечные инъекции, и сказала, что оставляет четырнадцать ампул. Значит, Николай станет колоть его этой дрянью? А как же? Конечно, с удовольствием. С кайфом.

«Если от одного укола мне так хреново, что

же будет от четырнадцати? Я отупею, стану инвалидом. Коля упорный придурок. Попробую сопротивляться — опять скрутит меня».

Раньше он относился к телохранителю отца с равнодушным пренебрежением, но теперь возненавидел. А заодно и Оксану. Они оба, домработница и телохранитель, стали свидетелями его жуткого, позорного срыва. Они обращались с ним как с сумасшедшим. Они все запомнили и расскажут родителям.

Ненависть придала ему сил.

Стас принялся энергично растирать и массировать себе сначала предплечья, потом плечи, шею. По мышцам побежали тонкие иголочки, руки задвигались живее. Он сел и принялся за свои ноги. Наконец ему удалось встать с постели и даже сделать несколько наклонов. Голова кружилась, противная ватная слабость никак не проходила. Но двигаться он мог. На цыпочках подошел к двери, выглянул. Было темно и тихо. Он выскользнул в коридор, бесшумно ступая по мягкому ковру, пересек гостиную. Из кухни отдельная дверь вела в пристройку. Там был коридор и две спальни для прислуги, каждая со своим душем и туалетом.

На кухне он застыл, прислушиваясь. Ему показалось, из комнаты Николая доносится ритмичный весьма характерный скрип. Шагнув в коридорчик, он явственно услышал сопение, сладкие стоны, мужской, а потом и женский.

— Сволочи! — пробормотал Стас, вернулся на кухню, плотно прикрыл за собой дверь в пристройку.

На кухонном столе он увидел коробку с ампулами и упаковку шприцов. Включил свет, вытащил листовку-вкладыш. Название лекарства ничего ему не говорило, но он внимательно прочитал английский текст и понял, что получил довольно мощную дозу сильнейшего нейролептика, который используют при шизофрении, ажиотированной депрессии, белой горячке и прочих психических заболеваниях, когда больной ведет себя буйно. Далее следовал внушительный список противопоказаний и побочных эффектов, и у Стаса полезли глаза на лоб.

— Вот суки, — тихо простонал он и открыл холодильник.

Он вспомнил, что всякие токсические вещества вымываются из организма молоком. В холодильнике стоял литровый картонный пакет, еще не вскрытый. Стас поискал стакан или чашку, не нашел, вскрыл пакет и стал пить прямо из него. Белые струйки текли по подбородку на грудь. Он не обращал внимания, жадно хлебал, влил в себя поллитра и отправился в душ. Его все еще слегка покачивало, голова кружилась. Иначе и быть не могло. Нейролептик с длинным названием резко понижал артериальное давление, вызывал кожные реакции, бил по почкам. У Стаса чесалось лицо. В зеркале при ярком

263

свете он увидел себя, красного, отечного, с глазами-щелочками и распухшим носом. Поскольскнулся на кафельном полу, чуть не упал, разозлился еще больше и следующие полчаса шпарил себя крутым кипятком, потом включал ледяную воду, опять кипяток, опять ледяную. Этому учил его отец еще в детстве и уверял, что если принимать контрастный душ каждый день, то жить будешь долго и никогда не заболеешь. Но раньше Стас ленился и жалел себя.

Процедура помогла. Он докрасна растерся полотенцем и вернулся в свою комнату другим человеком. На часах было без пятнадцати шесть утра. Спать ему совершенно не хотелось. Он не спеша оделся, достал небольшую спортивную сумку, сложил туда пару футболок, свою любимую темно-синюю рубашку из натурального шелка, еще одну, бежевую, льняную, а также легкие летние брюки, джинсы, две смены нижнего белья, еще всякие мелочи, напоследок побрызгался своей любимой туалетной водой «Гуччи» и бросил флакон в сумку.

В глубине бельевой полки лежал небольшой сверток. Там было пять тысяч долларов. После истории с блокировкой карточек он боялся оставаться без наличных. Четыре тысячи он спрятал в сумку, в специальный потайной карман, одну положил в замшевый «набрюшник», пристегнутый к брючному ремню.

Оглядев комнату, он заметил зарядное уст-

264

ройство от мобильника и взял с собой. Напоследок он соорудил на своей кровати конструкцию из подушек и запасного одеяла, накрыл легким вязаным пледом, отошел, поглядел. Получилось неплохо. Вполне можно подумать, что он лежит, свернувшись калачиком и накрывшись с головой. Глубоко вздохнул, вышел из комнаты, направился к выходу, ведущему в гараж. Там сначала открыл серый «Опель», на котором возвращался из аэропорта, и взял свой мобильный телефон. Затем открыл дверцу белого «Рено».

Он знал, что у Николая имелось два пистолета. Один был всегда при нем, другой хранился в машине, в специально оборудованном тайнике. Но где именно этот тайник, Стас понятия не имел. Он заглянул в бардачок, пошарил под сиденьями, прощупал обивку. Во рту у него опять пересохло, сердце забилось громче и быстрее. Он пнул ногой переднюю покрышку, огляделся мутным взглядом, увидел здоровенный гаечный ключ. Рука сама потянулась к железяке, однако хватило сил остановиться и не разнести Колину машину ко всем чертям.

— Ну, ты чего? — обратился он к самому себе ласковым шепотом. — Ну на хрена тебе пушка?

Тихо захлопнув дверцы машины, он вышел из гаража, закрыл ворота.

Первый автобус в Керкуру отправлялся в шесть тридцать. От виллы до остановки было десять минут ходьбы. Оказавшись в пустом прохладном салоне, Стас откинул спинку мягкого кресла и спокойно, крепко уснул. Через час он был в Керкуре. Катера на материк отплывали каждые двадцать минут. До Салоников он доехал на автобусе и в три часа дня, измотанный, голодный, но спокойный и почти счастливый, сел в поезд «Салоники—София».

Теперь он даже рад был пережитому стрессу и ужасу, который испытал на вилле, когда лежал, спеленатый шторой, и толстая дура-гречанка устроила ему допрос, обвинила его во вранье, вколола какую-то чудовищную, вреднейшую мерзость, а потом рассуждала о том, псих он или не совсем еще. Всего несколько часов назад у него не было никакой перспективы, кроме домашнего ареста и регулярных уколов, которые вскоре сделали бы из него придурка, инвалида и импотента. Вот он, итог усилий всемогущего папы-генерала.

— Нет уж, спасибо. Хватит, — тихо усмехнулся Стас, обращаясь к сияющему парусу яхты на горизонте, — не можете вы все ни хрена! Со своими проблемами я теперь буду разбираться сам. Я знаю, что делать.

* * *

Анжела не почувствовала, как ее вытащили из «жигуленка», перенесли в черный джип с затемненными стеклами и уложили на заднее сиденье. Это произошло за считанные минуты в

266

ремонтной мастерской, всего в десяти километрах от кольцевой дороги. Там работали два молчаливых автомеханика в промасленных спецовках.

— Ну я пошла, да? — осторожно спросила Милка, с тоской глядя на тонкую полоску света между железными створками ворот мастерской. — Давайте деньги, как договаривались, и я пошла.

Ей никто не ответил. Белобрысый шофер сосредоточенно прикуривал. Механики возились со скелетом какого-то автомобиля.

— Я все выполнила, блин, дай деньги, — растерянно повторила Милка.

На нее вдруг напала странная, одуряющая слабость. Ноги стали ватными. Белобрысый шофер задумчиво курил, глядя сквозь нее прозрачными светло-голубыми глазами, и вдруг легонько кивнул головой.

— Ну что, рассчитаемся, и я побежала? — обрадовалась Милка, ожидая, что вот сейчас перед ней выложат обещанную сумму, она уйдет, поймает машину, и прямо в Шереметьево-2. Все уже готово. В сумке загранпаспорт с шенгенской визой и билеты до Неаполя. Всю жизнь мечтала побывать в Неаполе.

Однако шофер кивнул вовсе не ей. Пока она говорила, один из автомехаников неслышно подошел к ней сзади и достал из кармана толстый капроновый шнур.

Крикнуть она не успела, после короткой агонии обмякла. Белобрысый водитель выплюнул окурок, достал из кармана пачку долларов, перетянутую резинкой, молча шлепнул ее на загаженный стол, вскочил в джип. Второй механик открыл ворота, машина проехала пару сотен метров по проселочной дороге и выехала на Можайское шоссе.

Механики заперлись в мастерской, расстелили на полу большой кусок полиэтилена, закатали в него мертвую Милку, отнесли в угол и накрыли сверху брезентом. Потом занялись «жигуленком». Поменяли номера, обшарили салон, нашли под сиденьем шприц, выбросили его, протерли тряпкой с чистящим раствором руль, дверные ручки. Перекрашивать не стали. Мало ли в Москве и Московской области голубых «четверок»?

Потом, глубокой ночью, в багажнике этой самой «четверочки», Милку привезли на ближайшее кладбище. С могильщиками договорились заранее, еще позавчера. Огромный сверток опустили в свежую яму, присыпали землей.

А на следующий день были похороны. Чей-то гроб под музыку духового оркестра и плач родственников торжественно опустился сверху, скрыв под собой тело Людмилы Борисовны Галушкиной 1975 года рождения на веки вечные.

———

ГЛАВА ТРИДЦАТЬ СЕДЬМАЯ

Спать осталось меньше трех часов, и Сергей охотно согласился на предложение Натальи Марковны никуда не уезжать, отдохнуть у них. Она постелила ему в бывшей комнате Стаса. Как только он прикоснулся головой к подушке, тут же провалился в сон.

В восемь утра его разбудило настойчивое верещание мобильного. Не открывая глаз, он нащупал телефон на тумбочке и услышал бодрый голос Райского:

— Поздравляю, к Анжеле вам ехать не надо.

— Что случилось? — растерянно спросил Сергей, заставляя себя проснуться.

— Похитили ее, — полковник нервно хохотнул, — прямо из-под носа у моих наружников увезли. И главное, сукины дети, до сих пор уверены, что с их стороны никаких проколов не было. Черт, ну как работать с такими кретинами, а, майор? Нет, конечно, эти сволочи разыграли все гениально, не спорю. В дом никто чу-

269

жой не входил. Ее домработница якобы вызвала такси и повезла ее в четыре утра в больницу, потому что у бедняжки разошлись швы. Но в клинике она не появлялась, врачу своему не звонила, и швы у нее разойтись не могли.

— Откуда вы знаете? — быстро спросил Сергей.

— Ну что вы задаете идиотские вопросы? — раздраженно рявкнул Райский. — Не проснулись еще? Так просыпайтесь!

— Нет, я понимаю, вы проверили клинику, и не только ту, в которой ее оперировали, но вообще все московские больницы. Я о другом. Откуда вы знаете, что у нее не могли разойтись швы?

— От верблюда! — заорал Райский так, что у Сергея зазвенело в ухе. — Я говорил с ее врачом!

— С Юлией Николаевной? — мягко уточнил Сергей.

— Вот в это не лезьте, — Райский перешел на зловещий шепот, — это, майор, не ваше дело.

Еще никогда полковник не был таким взвинченным. Сергей прижал телефон к уху плечом и начал одеваться. В трубке слышалось тяжелое сопение Райского.

— Михаил Евгеньевич, вам не кажется, что секретность должна иметь какие-то разумные пределы? — спросил он, натягивая брюки. — Я не смогу нормально работать, пока вы считаете меня безмозглой марионеткой в ваших умных руках. Где сейчас Юлия Николаевна?

— Дома, — буркнул Райский.

— И скоро, как я понимаю, должна ехать на работу в клинику?

— Да. Но сначала она завозит дочь в школу. Слушайте, вы вообще что себе позволяете, майор? Вы понимаете, с кем говорите? Думаете, я ее не охраняю? — возмутился Райский, но как-то уж совсем вяло.

— Конечно, охраняете, — успокоил его Сергей, — но Анжелу вы охраняли еще надежней. Пожалуйста, дайте мне телефон Юлии Николаевны, домашний адрес и адрес школы, где учится ее дочь.

— Что вы собираетесь делать?

— Хочу проверить, все ли в порядке.

— Не трудитесь. Мне постоянно докладывают. И вообще, почему вдруг такая паника? С чего вы взяли, что ей угрожает опасность?

— Михаил Евгеньевич, времени мало, но я объясню, чтобы внести окончательную ясность. Когда мы беседовали в последний раз, вы настаивали, чтобы я ехал к Анжеле к десяти утра. Вы сказали, что в двенадцать она отправляется на прием в клинику. Вам надо было, чтобы наша встреча состоялась раньше. Вероятно, вы рассчитывали, что Анжела поделится со своим доктором впечатлениями о моем визите и скажет то, что никому больше не скажет. Вы не сомневались в этом, поскольку такое уже случалось не раз. Верно? — Пока Сергей говорил, он успел полностью одеться. — Вам не приходит в голову, что из Анжелы очень скоро вытянут все, в том числе и содержание ее откровенных бесед с доктором? Вы забыли, с кем мы имеем дело?

— Записывайте, майор, — устало вздохнул Райский и продиктовал номера телефонов Юлии Николаевны, домашний, мобильный и рабочий, — должен признаться, я вас недооценивал.

— Я рад, — улыбнулся Сергей. Он был уже в ванной и распечатывал новую зубную щетку, которую приготовила для него генеральша, — у меня к вам большая личная просьба. Поручите кому-нибудь выяснить, сидел ли одновременно с Михеевым Юрием Павловичем в Архангельской области, в зоне под названием «Наркоз», кто-нибудь, прописанный по адресу Московская область, поселок Федотовка. Или поблизости, в соседних деревнях.

— Вам не кажется, майор, что этим лучше заняться позже? — проворчал полковник.

— Одно другому не мешает, — ответил Сергей.

Попрощавшись с Райским, он тут же стал набирать подряд все номера Юли. Но телефоны не отвечали.

Было пятнадцать минут девятого. Юлия Николаевна подъезжала к Шуриной школе. У нее была привычка, садясь за руль, выключать мобильный.

* * *

Анжела очнулась в полутемной комнате, и в первый момент увидела окно, разлинованное частой решеткой, потом мертвую пасть камина и наконец огромное овальное зеркало в толстой раме. Зеркало стояло на полу, на кривых рояльных ножках, и было повернуто таким образом, что отражало всю комнату и саму Анжелу, лежащую на кожаном черном диване, накрытую клетчатым пледом.

Повязка на лице была грязной и липкой. Прежде чем понять что-либо, она поднялась на ноги, подошла к зеркалу и принялась разматывать бинты. В зеркале отразилось ее лицо, покрытое шрамами, отечное, бесформенное, но швы были целы. Никакой крови.

— Все хорошо, — пробормотала она, глядя в зеркало, — ничего страшного. Я отдам Шаме карточку, скажу ему этот чертов пин-код, и он простит меня, как я его простила. Мы почти квиты.

Она смотрела самой себе в глаза и не верила в то, что говорит. Стоять было трудно, колени подкашивались, она вернулась на диван, легла, забилась под плед. Ее колотил озноб, и страшно хотелось пить. В доме было тихо. Сквозь решетку доносился радостный птичий щебет. Конечно, это оказалась никакая не решетка, просто ставни. Анжела решила, что полежит немного, потом подойдет к двери, постучит и попросит пить. Повертелась, чтобы улечься удобнее, и что-то твердое вдавилось ей в бок. Под вязаным жакетом на ней была толстая трикотажная кофта от пижамы с двумя глубокими карманами. В одном из них она обнаружила маленькую серебристую «Моforce», с которой не расставалась по приказу своего Шамочки.

Телефон был включен, батарейка садилась. У Анжелы была отличная память на цифры, она держала в голове не меньше трех десятков номеров. Но, мысленно перебирая имена своих знакомых, она вдруг поняла, что звонить ей некому. Абсолютно некому, кроме доктора Тихорецкой, и прежде чем решить, что ей даст этот звонок, принялась нажимать кнопки. Анжела знала только ее рабочий телефон.

Было девять утра. У доктора как раз начинался прием. Трубку взяли сразу.

— Юлия Николаевна, это я.

— Анжела? Где ты?

— Не знаю. Кажется, за городом. В каком-то доме.

— Что с лицом?

— Вроде нормально. Жжет немного от хлороформа.

— Как давно ты очнулась?

— Минут десять назад.

— Посмотри свои локтевые сгибы. Есть следы инъекций?

— Да.

— Сколько?

— Царапин много, дырка одна.

— Как ты себя чувствуешь?

— Пить хочу, знобит, тело все ватное, в ушах звенит.

— Это скоро пройдет. Лежи спокойно. Лицо береги. А главное, тяни время.

— Юлия Николаевна, моя домработница, Галушкина Людмила Борисовна, она им помогла, если удастся ее найти, она может знать что-то...

Дверь неслышно распахнулась. Анжела вздрогнула, успела нажать отбой и захлопнуть крышку. В комнату влетел крепкий пожилой кавказец и выхватил у нее телефон.

— Куда звонила? — рявкнул он и размахнулся, но не ударил.

— Шамилю, — прошептала Анжела, вжимаясь в спинку дивана, — попить принеси.

Кавказец открыл крышку телефона. На табло остался номер. Ни слова не сказав, он вылетел из комнаты с «Мотороллой» в руке. Дверь захлопнулась, до Анжелы донесся хриплый крик:

— Почему ее не обыскали, мать вашу?!

— До приезда Шамиля трогать нельзя! — ответил высокий мужской голос.

Полковник Райский пил кофе литрами и не вынимал сигарету изо рта. За последние сутки он похудел еще больше, лицо стало серым. Разумеется, в фирме «Московский извозчик» никакого Дюбеля Артема Ивановича не знали. Удалось выяснить, что «Жигули» четвертой модели с указанным номерным знаком числятся в безнадежном угоне уже два года, правда, машина не голубая, а белая.

Инспектор ГИБДД, дежуривший на посту в том месте, где Минское шоссе переходит в Можайское, вроде бы заметил похожую машину. Это было около пяти утра. Инспектор говорил, что в машине, кроме водителя, сидели двое на заднем сиденье. Номер он, разумеется, не запомнил, поскольку никаких указаний на этот счет не получал.

Звонок Анжелы, прозвучавший в кабинете Юлии Николаевны в девять утра, слегка взбодрил полковника. По интенсивности звукового сигнала можно было определить, в каком месте Московской области находился звонивший. На карте уже обозначился заветный кусок пространства размером в тридцать квадратных километров.

— Ее сначала отключили хлороформом или фторотаном, минут на пять, — обрадовала его Юлия Николаевна. — За это время успели сделать внутривенную инъекцию, всего одну. Действие препаратов такого рода длится от получаса до двух часов, но не больше. Она позвонила почти сразу, как очнулась. Судя по голосу, по внятной речи, можно предположить, что Анжела оставалась без сознания не более часа. Считайте сами, на какое расстояние от Москвы ее могли увезти за это время. Да, и еще, она прервала разговор на полуслове, вероятно, кто-то вошел.

— Это понятно, — задумчиво протянул Райский, — это я слышал.

Телефон Юлии Николаевны он поставил на прямое прослушивание и для подстраховки подключился к «жучкам» в кабинете. Когда Тихорецкая положила трубку, он услышал, как хлопнула дверь и взволнованный женский голос произнес:

— Доктор, мы с вами остановились на жировых отложениях в области таза.

Райский вздрогнул и уменьшил звук.

Кроме похищения Анжелы, был еще один сюрприз. Из Греции позвонил генеральский телохранитель Николай и сообщил, что Стас Герасимов вчера утром удрал с виллы, прихватив паспорт и все свои наличные. Охранник рассказал о приступе буйства, о ночном визите греческого психиатра и заверил, что из страны Герасимов не улетал.

— Мог переплыть на материк по морю, а оттуда на поезде, — машинально заметил Райский.

— А вы не пытались немного ограничить себя в еде? — звучал в его кабинете спокойный голос Юлии Николаевны.

— Да что вы, я и так ничего не ем, я голодаю, отказываю себе во всем, пожалуйста, посмотрите на эти страшные синяки под глазами, — клокотала пациентка.

— Это не синяки, это жировые грыжи...

Полковник сунул в рот очередную сигарету и полностью вырубил звук.

— Куда? — тоскливо спросил его Николай.

— Откуда я знаю? — так же тоскливо ответил полковник.

— Вы можете сами сообщить об этом Владимиру Марленовичу?

— Нет. Мне некогда, — рявкнул он в трубку, — вы его упустили, вы и сообщайте! Всего доброго.

— Подождите, Михаил Евгеньевич, я не могу сказать ему это по телефону. Надо как-то подготовить, что ли... Владимир Марленович очень тяжело болен, его сейчас надо беречь, вы все-таки здесь, вы можете к нему подъехать...

— Меня тоже надо беречь! — заорал Райский. — Звоните сами!

— У Владимира Марленовича неоперабельный рак желудка, — тихо проговорил Николай, — ему остался месяц, не больше.

Полковник так ожесточенно тер переносицу, что нос покраснел и кожа шелушилась.

— Рак? — тупо переспросил он. — Месяц?

— Да. Если бы не это, я бы, конечно, позвонил сам, я знаю, тут только моя вина, но...

— Хорошо, я съезжу к нему, — упавшим голосом пообещал Райский и положил трубку.

Несколько минут он сидел, прикрыв глаза и глотая тошнотворный табачный дым. Он так увлекся идеей поймать Исмаилова, что почти забыл о первопричине, о яблоке раздора, обожаемом и единственном генеральском сыне, на защиту коего были выданы ему деньги. А яблочко это катилось в неизвестном направлении. Возможно, сюда, в Москву, а возможно, уже никуда не катилось, а валялось где-нибудь между Средиземным и Черным морями с пулей в затылке, поскольку полковник до сих пор так и не удосужился узнать, кто и почему хочет свести счеты со Стасом Герасимовым.

Нельзя стянуть искусственно две параллельные прямые в одной точке. Даже если точка эта таит в себе благородный блеск новеньких генеральских звезд на погонах, она все равно мираж. Ее нет. Надо либо ловить Исмаилова, либо спасать Герасимова. Но без Герасимова полковник не получил бы денег на Исмаилова. А без Исмаилова Герасимов не был ему интересен.

У полковника хватало ума и мужества, чтобы признать свою ошибку, тем паче, это пока всего лишь ошибка, но не окончательный провал. Сергей был прав, когда говорил, что план все равно работает, пусть не так, как предполагалось вначале. Исмаилов не ускользал, возможно, он даже, наоборот, шел в руки. Когда человеком руководят такие высокие отвлеченные мотивы, как честь, кровная месть, ловить его сложно и утомительно. Но если все это дым, если его волнуют только деньги, то заманить его в ловушку значительно проще. Покажи ему деньги, и он непременно потянется за ними.

Исмаилову плевать, что отец Стаса когда-то посадил его отца. Он наверняка знает об этом, но ему по фигу. И вся история с Анжелой тоже по фигу. Через Стаса он качает деньги на свой личный счет. Вот это важно.

Райский вдруг показался самому себе ужасно старым и наивным. Пора было ехать к генералу. Дай ему Бог никогда не узнать, что через его банк уходят деньги на личный счет чеченского террориста.

———

ГЛАВА ТРИДЦАТЬ ВОСЬМАЯ

— Хорошо, я запишу вас на операцию, — вздохнула Юлия Николаевна, — сестра выпишет вам направления на все предварительные обследования. Предупреждаю, что операция проводится под общим наркозом, строго натощак. Пребывание в стационаре семь суток. Швы снимаются на десятые сутки. К нормальной жизни вы сможете вернуться не ранее чем через месяц. Рубцевание весьма болезненное. Пожалуйста, ознакомьтесь с прейскурантом, — она протянула полной, нестерпимо надушенной даме стандартную пластиковую папку.

Зазвонил телефон, Вика взяла трубку:

— Нет, на сегодня уже нельзя. Могу вас записать на вторник. Четырнадцать тридцать вас устроит? Да, пожалуйста. Записываю. Подойдете к охраннику, назовете фамилию, вам выдадут талон. Только не забудьте паспорт.

Дама между тем закончила изучать прейскурант и подняла на Юлю маленькие острые глазки:

— Вы так говорите со мной, доктор, будто делаете мне одолжение, — заметила дама, надменно вскинув рыхлый подбородок, — а цены у вас такие, что вы должны пациентов языком облизывать.

В кармане у Юли затренькал мобильный. Она схватила телефон, надеясь, что это Райский с новостями, но услышала совсем другой голос.

— Юлия Николаевна, это я.

Она узнала его. Но не поверила своим ушам.

— Да, я слушаю, — ответила она, еще не зная, каким именем его теперь называть.

— Это Сергей, — представился он, — у вас все нормально?

— Да.

— Я сейчас подъезжаю к вашей клинике. Знаете, мне придется весь день сегодня провести рядом с вами. Вот тут как раз есть местечко возле вашей «Шкоды». Сейчас я припаркуюсь, а вы пока позвоните охране и предупредите, что к вам идет пациент Найденов Сергей Михайлович, просто чтобы мне пройти быстро и без лишних разговоров.

Вика успела выписать полной даме все направления и терпеливо объясняла, какой анализ зачем нужен. Юля позвонила по внутреннему на вахту.

— Доктор, вы так смотрите на меня, словно я сама виновата в своих жировых отложениях, — вдруг обратилась к ней дама.

— Я на вас никак не смотрю, — пожала плечами Юля.

— Разумеется. Вы же страшно заняты. Все время разговариваете по телефону.

— Извините, — тусклым голосом ответила Юля и до боли сцепила ледяные пальцы.

* * *

Щелкнул замок. Вошла старуха в черном платке, поставила на журнальный стол перед Анжелой бутылку минеральной воды и стакан.

— Спасибо, — Анжела открыла бутылку и стала жадно пить прямо из горлышка, но увидев, что старуха уходит, оторвалась и крикнула ей вслед: — Эй, хорошо бы еще сигаретку и чего-нибудь покушать! И пусть кто-нибудь скажет мне, когда приедет Шамиль!

Старуха посмотрела на нее долгим пустым взглядом и удалилась, не ответив ни слова. Щелкнул замок. Анжела соскочила с дивана, босиком подбежала к двери, забарабанила в нее кулаками и закричала:

— Куда вы дели Милку?! Я хочу посмотреть этой мерзавке в глаза!

В ответ послышалась какая-то невнятная возня.

— Ну что, крысы, попрятались? — Анжела повернулась к двери спиной и пару раз врезала по ней босой пяткой. — Испугались? Правильно! Все Шамке расскажу, как вы тут со мной обращаетесь! Держите в темноте, в духоте, а мне свежий воздух нужен, я не могу без свежего воздуха!

Чем громче она орала, тем увереннее себя чувствовала. Она понимала, что без приказа Шамиля ее здесь никто пальцем не тронет. А он такого приказа не отдаст, на ее счету в кипрском банке лежат его личные деньги, о них не должен знать никто, даже самые доверенные люди. Он явится сюда сам, и на ушко, чтобы ни одна живая душа не слышала, спросит у нее пин-код и где лежит новая карточка.

Дверь чуть не шарахнула Анжелу по голове. На пороге стояла все та же старуха. В руках у нее был поднос. На нем дымящаяся турка, кофейная чашка, плоская белая лепешка, куски козьего сыра, зелень.

— Класс! — Анжела радостно хлопнула в ладоши. — Спасибо, бабуля. Сюда, на столик поставь и окошко открой, будь человеком. — Она проскользнула в коридор. У нее на пути тут же вырос здоровенный бородатый парень в черной бандане на голове. У пояса открыто болтался автомат. Это был один из личных телохранителей Исмаилова.

— Здорово, Ахмед! — кивнула ему Анжела. — Ну что встал как столб? В сортир проводи девушку.

— Пошли, — он пропустил ее вперед.

По дороге Анжела огляделась. Дом показался ей значительно меньше и скромнее тех подмосковных вилл, на которых она встречалась с Шамилем раньше. Два этажа, деревянная лестница, деревянные стены, вместо персидских ковров синтетические покрытия, мебель довольно потертая. Ей удалось выглянуть в окно, не закрытое ставнями, но ничего, кроме высоких кустов сирени и глухого забора, она не увидела. Когда спустились вниз, она даже подумала, что сортир и умывальник могут оказаться на улице. Но нет, все-таки в доме.

— Когда Шама приедет, не знаешь? — спросила она у Ахмеда.

— Нэ зынаю, — прорычал он густым басом.

— А куда Милка делась, домработница моя?

— Нэ зынаю.

Она мыла руки, в зеркале над раковиной отражалось ее безобразное, но уже почти привычное лицо. Позади маячила бородатая голова Ахмеда, повязанная пиратским черным платком, и, когда взгляды их встретились, Анжелу будто током шарахнуло, такие пустые, такие жуткие были у него глаза. Она видела его не впервые, но почему-то никогда прежде не замечала, что у него взгляд живого покойника.

* * *

В Софии Стас Герасимов не провел и трех часов. Купил билет на ближайший московский рейс и за время полета отлично отдохнул в пустом салоне бизнес-класса. В десять утра он уже садился в такси у Шереметьево-2 и просил отвезти его в какую-нибудь недорогую приличную гостиницу, где не спрашивают паспорта. Настроение у него было настолько хорошее, что он начал плести молчаливому пожилому водителю душещипательную историю о злющей ревнивой жене, которая нанимает частных детективов, чтобы следить за ним, о нежной возлюбленной, с которой приходится встречаться тайно, в чужих городах, в гостиничных номерах.

— Так разведись, — вяло посоветовал водитель.

— Давно бы развелся, если бы не дети, — вздохнул Стас, — трое у меня.

Пока он вдохновенно описывал свои нежные отцовские чувства к двум сыновьям и одной дочке, машина переехала кольцевую дорогу, свернула с Ленинградского шоссе где-то в районе Речного вокзала, покрутилась по тихим улицам и остановилась у трехэтажного чистенького домика. Над дверью переливалась разноцветными огоньками вывеска «Мотель Светлячок».

— Здесь номера от семидесяти до ста баксов в сутки. Из приличных самый недорогой, — сообщил водитель. — Ну как? Устраивает?

— Вполне, — кивнул Стас.

Паспорт у него действительно не попросили. Девушка за стойкой подвинула ему регистрационную книгу, чтобы он написал фамилию и город, из которого прибыл. Не мудрствуя лукаво, он вывел: Сидоров Иван Иванович, Санкт-Петербург.

Оказавшись в номере, принял контрастный душ, побрился, аккуратно развесил вещи в шкафу, спустился в кафе и вкусно позавтракал. Съел яичницу с беконом, овощной салат, выпил два стакана свежего апельсинового сока.

От гостиницы он прошел пешком до Ленинградского шоссе, там поймал машину и поехал в центр. Остановился в начале Тверской, у площади Белорусского вокзала, свернул в переулки, ведущие к Миусам и Новослободской, и наконец достиг цели своего увлекательного путешествия.

Это был довольно сомнительный ресторанчик с несвежими скатертями на столах и запахом горелого лука из кухни. Он только что открылся, и Стас оказался первым посетителем.

— Завтракать будем? — сонно обратилась к нему официантка.

Стас поманил ее пальчиком, она склонилась, и он произнес ей на ухо:

— Исса Мухамедович здесь?

Девушка проснулась, окинула его быстрым внимательным взглядом и спросила тоном секретарши из приличного офиса:

— Как вас представить?

— Станислав Герасимов.

Она кивнула и удалилась на кухню. Стас

закурил и стал ждать. Через пять минут из кухни появился пузатый мужчина в грязном белом халате.

— Ты Герасимов? — обратился он к Стасу и оглядел его с ног до головы. — Пойдем со мной.

Пузатый быстро провел его сквозь кухню, потом они спустились вниз по короткой лестнице и оказались в маленьком складском помещении, заваленном коробками и мешками. Неизвестно откуда возникли два громилы в камуфляже и молча его обыскали. Он не возмутился и не удивился столь странному приему. Он знал, что здесь так принято.

Пузатый повел его дальше, по узкому каменному лабиринту, который упирался в стальную дверь. На двери висел замок. Пузатый звякнул ключами, открыл замок, и они очутились в просторной комнате, увешанной дорогими коврами.

— Садись, — скомандовал пузатый, указывая на глубокие бархатные кресла, и тут же исчез на незаметной дверью, спрятанной между коврами.

Вернулся он минут через десять и протянул Стасу мобильный телефон:

— Говори!

— Привет, дорогой, — раздался в трубке низкий приятный голос, с таким легким кавказским акцентом, что его могло различить только очень чуткое ухо, — как живешь?

— Спасибо. А ты?

— Я нормально. Какие проблемы у тебя?

— Очень серьезные проблемы, надо встретиться.

— Насколько срочно?

— Чем скорее, тем лучше.

— Хорошо. Часа через два я должен заехать к Иссе по делу, если время есть, оставайся и жди.

* * *

Сергей не спеша прошелся по коридору третьего этажа, заметил глазки видеокамер и немного успокоился, потому что если убийца придет сюда, он их тоже заметит и это его должно слегка охладить.

«Вряд ли, вряд ли он полезет прямо сюда, — уговаривал себя Сергей, скользя глазами по лицам больных, ожидавших приема у кабинетов, — войти внутрь ничего не стоит. Но потом уйти невозможно. Здание новое, никаких закоулков и черных лестниц, прямые коридоры, охрана на каждом этаже. А смертника за такое короткое время они вряд ли найдут. Тут, слава Богу, не Грозный. Другое дело, он может повести ее прямо отсюда. Да, пожалуй, это будет для него удобнее, чем топтаться на улице у стоянки и мозолить глаза охране. Он не знает, когда закончится у нее рабочий день. Но не исключено, что все произойдет позже. Он просто будет ждать во дворе у ее дома, в подъезде. Или обстреляет по дороге, из проезжающей машины...»

У кабинета доктора Тихорецкой сидели пять женщин разного возраста. Сергей сел, взял какой-то журнал и уткнулся в него. Из кабинета выплыла полная пыхтящая дама. Следом за ней выпорхнула рыженькая девушка в белом халате, оглядела очередь, остановила любопытный взгляд на Сергее.

— Вы Найденов? Зайдите, пожалуйста. Это на минутку, только на минутку, — успокоила она дам в очереди.

Юля сидела за столом и писала что-то. Она вскинула глаза, и несколько секунд они молча смотрели друг на друга.

— Снимите, пожалуйста, очки, — попросила она.

Он снял, подошел ближе. Она прикоснулась к его лицу и повернула к свету.

— У вас все хорошо. Рубцы можно будет снять уже через неделю. Что случилось? — спросила она одними губами.

— Очень соскучился, — ответил он так же беззвучно и добавил, уже громко: — Юлия Николаевна, я подожду в коридоре и зайду, когда будет моя очередь. Я не тороплюсь.

— Он у нас не лежал, — успела заметить Вика перед тем, как зашла следующая больная, — у него была полная пластика лица примерно месяц назад. Вы делали?

Юля молча кивнула.

Как только Сергей сел в кресло, у него в кармане зазвенел мобильный.

— Вы мне нужны, майор, — сказал Райский, — где вы сейчас?

— В клинике.

— Вы мне нужны очень срочно. Мы вычислили дом. Туда сейчас направляется ОМОН, мы будем его брать, вы должны участвовать в операции, только вы знаете его в лицо.

— Михаил Евгеньевич, — прошептал Сергей, прикрывая трубку ладонью, — вы абсолютно уверены, что он там, в доме?

— Нет. Его там нет. Но он должен приехать, — Райский говорил быстро и возбужденно, — мне только что удалось выяснить, что девчонка заказала новую карточку и поменяла пин-код. Она умудрилась заблокировать для него его деньги, понимаете?

Мимо Сергея прошли две молоденькие медсестрички, громко хихикая.

— Как? — переспросил он, встал и отошел подальше от людей, в пустой конец коридора.

— А вот так! У меня есть знакомый в налоговой полиции города Никосии, — гордо сообщил Райский.

— И все равно он не приедет, — сказал Сергей, — отдаст приказ перевезти ее в другое место, и все.

— Почему вы в этом так уверены

— Потому что он не глупее нас с вами, Михаил Евгеньевич. Скажите, я вам нужен там, чтобы забрать Анжелу? Или ОМОН справится?

— А вы считаете, ее надо оттуда забирать? Допустим, я согласен, сейчас он там не появится. Но потом, позже. Не разумнее ли подождать?

— Он там не появится никогда. Дом засвечен и для него уже не существует.

— А как же его деньги?

— Во-первых, жизнь ему все-таки дороже, а во-вторых, он сделает все, чтобы добраться до Анжелы позже, как-нибудь иначе.

— Так, может, дать им ее увезти и проследить?

— А если потеряете?

— Да, вы правы. Не исключено. Ладно, майор, оставайтесь пока здесь, если так уверены, что это необходимо. Но будьте на связи постоянно, не выключайте телефон.

* * *

Стасу принесли кофе, вазу с фруктами, пепельницу. Два часа тянулись бесконечно. Мимо сновали какие-то вооруженные люди, из соседнего помещения звучала быстрая чеченская речь, разноголосое треньканье сразу нескольких телефонов, иногда грохот, словно там передвигали мебель и швыряли какие-то тяжелые предметы. Стас машинально щипал виноградную кисть, отправлял в рот крупные розовые ягоды без косточек.

Суета нарастала. Вооруженные громилы, которых Стас насчитал не менее пяти, уже не проходили, а пробегали мимо него, топая коваными ботинками. Стас закурил очередную сигарету, и вдруг стало тихо, как будто хлопнул в ладоши невидимый режиссер. Громилы застыли по сторонам железной двери. Замолчали телефоны. На цыпочках примчалась официантка, поменяла пепельницу, поставила бутылку минеральной воды и два стакана.

Через минуту в комнату вошел невысокий, крепко сбитый мужчина. Он был ровесником Стаса, но выглядел старше, солиднее. Легкий костюм песочного цвета сидел на нем безупречно. Светлые вьющиеся волосы, круглая бородка немного темнее волос, голубые глаза за стеклами элегантных очков в золотой оправе. Все в нем было аккуратно, правильно, добротно. Успешный бизнесмен, государственный чиновник высокого ранга, но никак не чеченский террорист, полевой командир Шамиль Исмаилов, на совести которого сотни человеческих жизней.

Неслышно ступая по коврам, он приблизился.

— Здорово, Стас. Рад тебя видеть, дорогой, — они пожали друг другу руки, — ну, рассказывай, что случилось у тебя, — он опустился в кресло. Пузатый Исса, успевший поменять свой грязный халат и обтрепанные джинсы на черный костюм, почтительно склонился, разлил воду по стаканам и что-то быстро произнес по-чеченски. — Да, дорогой, я понял. Минут через пятнадцать, — ответил Исмаилов по-русски и тут же обратился к Стасу с приветливой улыбкой: — Слушаю тебя.

— Тут на меня наехали, очень серьезно, — начал Стас вполголоса, стараясь не глядеть в спокойные голубые глаза Исмаилова, — месяц назад к моей машине прицепили взрывчатку, но мне повезло, я вышел покурить на балкон и увидел их. Взрывное устройство обезвредили, но их, конечно, не нашли, и кто они, до сих пор не известно, то есть я уже понял, кто...

В кармане Исмаилова зазвучали первые аккорды «Танца маленьких лебедей». Он достал свой мобильный. Голубые глаза отлепились от лица Стаса.

— Извини, дорогой, — он быстро, возбужденно заговорил по-чеченски и, продолжая говорить, защелкал пальцами.

К нему тут же прибежал Исса и, получив от него короткое резкое приказание, умчался, потряхивая пузом. Исмаилов поговорил по телефону еще минуты три, наконец отложил его и обратился к Стасу:

— Так, давай дальше.

— Дальше замочили моего шофера. Я ужинал в ресторане, вышел и увидел труп в машине. Пушку подкинули в квартиру моей женщины, — Стас не ожидал, что будет так волноваться, он чувствовал, что его трясет все сильнее, голос стал садиться, и он все время глухо покашливал, — потом я улетел в Грецию, и там меня чуть не сшиб в пропасть огромный грузовик. Было еще кое-что, так, по мелочи. Например, заблокировали мои кредитки...

— О! — Исмаилов поднял вверх палец, глаза его блеснули. — Кстати, о кредитках! Мне тоже надо с тобой поговорить. Но не сейчас, позже. Прости, что перебил.

Опять зазвонил телефон, на этот раз у одного из охранников. Громила что-то рявкнул в трубку, быстро подошел к Исмаилову. Они посовещались, Исмаилов взял у него телефон, произнес несколько слов и обратился к Стасу с мягкой улыбкой:

— Еще раз извини, дорогой. Видишь, какая жизнь у меня. Да, слушаю тебя.

— Я вычислил человека, который меня достает, — Стас заговорил быстрее, опасаясь, что его опять перебьют, голос сел окончательно, он смешно сипел и от этого нервничал еще больше, — мы учились вместе в институте, на одном курсе. В восемьдесят пятом его посадили, дали десять лет за убийство. По документам он умер от туберкулеза. Звали его Михеев Юрий Павлович, как зовут сейчас, не знаю. У него есть сестра, ей лет двадцать семь, высокая блондинка, очень красивая. Она...

В комнату опять влетел Исса и затараторил по-чеченски. Исмаилов сначала отвечал ему спокойно и, вероятно, пытался отложить проблему, чтобы довести до конца разговор со Стасом. Но Исса настаивал на своем, к нему присоединился охранник. Он сказал всего несколько слов. Исмаилов кивнул и поднялся:

— Извини, дорогой, ничего поделать не могу, извини, что так получилось. Я понял, проблемы у тебя серьезные, ты можешь на меня рассчитывать, но сейчас мне надо идти, — он пожал Стасу руку, похлопал по плечу, — увидимся скоро, в ближайшие дни. У меня к тебе тоже дело.

Стас хотел спросить, где и когда, но Исмаилов исчез так же внезапно, как появился, пообещав на прощание, уже у двери:

— Я тебе сам позвоню!

Стас сильно закашлялся. На несколько минут он остался один в комнате, залпом выпил стакан воды и все никак не мог успокоиться.

Вернулся Исса и вежливо обратился к нему:

— Пойдем провожу.

На ватных ногах Стас прошел лабиринт, склад, лестницу, кухню. Исса усадил его за столик в зале. Там все еще было пусто. Подошла та же официантка и спросила:

— Кушать что-нибудь будете?

Стас молча помотал головой, встал, вышел на улицу, добрел до Миусского парка, посидел на лавочке, не понимая, почему вдруг стало тяжело дышать и почему в два часа такая темень.

Вдруг небо раскололось у него над головой, гром ударил так близко, что Стас вскочил, озираясь сумасшедшими глазами. Только когда на него упали тяжелые капли первой в этом году майской грозы, он опомнился и помчался к Тверской ловить машину. В салоне его стало клонить в сон. Доехав до мотеля, он еле доплелся до койки, разделся, забился под одеяло и уснул. Проснулся глубокой ночью от сильного озноба. Градусника не было, но он и так знал, что температура у него не ниже тридцати девяти.

О том, что номер его мобильного изменился и позвонить Исмаилов ему не сможет, он вспомнил значительно позже.

* * *

Вычислить дом, в котором держат Анжелу, оказалось не так уж сложно. На квадрате в тридцать километров умещались жидкая дубовая роща, небольшое картофельное поле, деревня и старый дачный поселок.

В деревне и в поселке все жители знали друг друга и нашлись разговорчивые старухи, подробно объяснившие, кто в каком доме живет.

Одну из дач в поселке хозяева сдали на год семье каких-то беженцев с Кавказа, и соседки, ранние дачницы, наперебой рассказывали, что беженцы эти ездят на джипах и «мерседесах», принимают у себя гостей каждый день и без конца грузят какие-то огромные коробки, ящики.

Спецназ окружил дом быстро и бесшумно. В окне на втором этаже мелькнул тощий длинношеий силуэт, удалось разглядеть в бинокль обритую голову, бесформенное сине-розовое лицо в шрамах.

Анжела почти не удивилась, когда в окно впрыгнул парень в камуфляже и маске, с автоматом у пояса. Одновременно с ним в дверях возникла мощная фигура Ахмеда. Спецназовец успел первым дать короткую автоматную очередь.

Двух других охранников, дежуривших снаружи, удалось обезвредить раньше. На них напали сзади, оглушили, обезоружили, надели наручники. Стрельбы больше не было. Задержанных чеченцев, в том числе и старуху, загрузили в фургон. Анжелу посадили в спецназовский автобус.

Чуть позже явились оперативники. Обыск в доме продолжался несколько часов. Нашли много разного добра. Ваххабитскую литературу, видеокассеты с пропагандой, наркотики, мешок тротила. В погребе и в дровяном сарае был обнаружен склад автоматического огнестрельного оружия и боеприпасов.

В доме также имелось два стационарных компьютера и один ноут-бук. Расшифровка файлов сулила много интересного.

Полковник Райский распорядился доставить Анжелу непосредственно на Лубянку, оттуда, соблюдая все правила конспирации, под усиленной охраной, ее увезли на окраину Московской области, на секретную базу ФСБ, уложили в госпиталь, в ту же палату, где совсем недавно лежал Сергей. Ее осмотрел доктор Гамлет Рубенович Аванесов и нашел ее состояние вполне удовлетворительным. Медсестра Катя измерила ей давление, взяла кровь на анализ, а позже, когда принесла обед, попросила автограф и протянула календарь, на котором улыбалась прежняя Анжела.

— Уже не помню, когда делала это в последний раз, — сказала она и размашисто расписалась на своем рекламном лице.

———

ГЛАВА ТРИДЦАТЬ ДЕВЯТАЯ

Очередь в кабинет доктора Тихорецкой тянулась медленно. Сергей успел наизусть изучить каждую мелочь в коридоре и холле. После полудня посетителей стало больше. Сквозь темные очки он аккуратно ощупывал взглядом лица, женские и мужские.

Крупные родимые пятна. Рубцы. Повязки, закрывающие нос, подбородок или все лицо. Мимо провезли в кресле женщину, у которой лоб и щеки были покрыты лиловой коркой, а глаза заклеены двумя белыми овалами. Сергей проводил взглядом высокого крепкого санитара, катившего кресло.

Бритый бычий затылок, низкий лоб, тяжелые надбровные дуги. Под халатом широкие штаны. В карманах можно спрятать что угодно. Санитар довез кресло до кабинета в другом конце коридора и пошел назад, прямо на Сергея. Походка легкая, стремительная, в каждом движении сила и точность. Поравнявшись с дверью, за которой сидела Юля, санитар сунул руку в карман штанов. Прежде чем сообразить что-либо, Сергей метнулся к нему и успел перехватить его мощное запястье.

— Мужик, ты чего? — добродушно удивился санитар.

В руке у него была пачка сигарет.

— Извини, я не нарочно, — пробормотал Сергей и отступил на шаг.

Парень окинул его насмешливым взглядом и произнес чуть слышно:

— Если бы я был он, ты бы ни хрена не успел, майор, — и подмигнул.

Сергей знал, что в клинике работают люди Райского, и все же эта встреча оказалась приятным сюрпризом. Однако собственная нервозность и глупость его всерьез насторожили. Он ведь все рассчитал и продумал.

Человек, которого он ждал, не мог быть внедрен сюда заранее. Он должен явиться с улицы. Он не станет врываться в кабинет, выхватывать пушку и палить. Он возникнет тихо, незаметно, как все, сядет в кресло у одного из кабинетов, уткнется в журнал или в книгу. Не исключено, что он уже здесь. Он может оказаться вот этой милой девушкой с круглым шрамом от ожога на щеке или даже вон той полной немолодой дамой с пеликаньим зобом вместо подбородка. Вовсе не обязательно, что он мужчина. И уж ни в коем случае не смертник. Здесь он стрелять не станет.

301

Из кабинета вышла очередная пациентка, вслед за ней появилась рыжая медсестра и, с любопытством взглянув на Сергея, сказала:

— По-моему, вы следующий.

— Да, — кивнул он и прежде чем войти, оглядел коридор.

Все было по-прежнему, однако вдруг сильно застучало в висках. Сергей не сразу понял почему. За последние несколько минут в коридоре не появилось ни одного нового посетителя. Дама-пеликан, девушка с ожогом, лысый мужчина лет сорока с лохматым родимым пятном в пол-лица, женщина с повязкой на носу и черными кругами под глазами, парнишка лет двадцати с розовыми ямами на круглых щеках, следами подростковых фурункулов. Белесые прямые перышки волос. Простецкая добродушная физиономия. Широкий вздернутый нос, серые глаза, светлые, длинные, как у теленка, ресницы.

Сергей проходил мимо него раз пять, не меньше. Парнишка явно стеснялся сидеть в этом коридоре, голова его была низко опущена, на коленях лежал раскрытый пестрый журнал.

— Ну что же вы, заходите, — услышал Сергей голос медсестры.

— Да, сейчас, — ответил он, не отрывая глаз от круглого рябого лица.

«Короче, это, ща я кончу его, — прозвучал у Сергея в голове высокий надреснутый голос, —

во имя Аллаха, короче... старший сержант Трацук Андрей Иванович...»

Спецназовцы обычно стригутся наголо. Длинные жидкие волосы сильно изменили облик бывшего старшего сержанта Андрея Трацука, семьдесят восьмого года рождения. И вообще узнать его было трудно. Глаза его стали белыми, зрачки сузились до точек. Телячьи ресницы не хлопали, как раньше. Он глядел прямо на Сергея, не моргая. Журнал у него на коленях все еще лежал, но был закрыт. Правая рука пряталась между страницами. На секунду Сергею показалось, что бывший старший сержант тоже узнал его, несмотря на пластическую операцию.

Всего лишь семь месяцев назад, в ноябре, у горного села Ассалах, майор Логинов тащил его на себе под шквальным огнем духов. Когда их окружили, старший сержант Трацук по прозвищу Чуня потерял сознание. Майор Сергей Логинов оказался рядом и решил, что сержанта задело. Он поволок его на плечах, уже в никуда, поскольку все было кончено. Он задыхался от усталости и вони. Чуня впервые в жизни попал в окружение, под шквальный огонь. Его не задело, он был целехонек, но хлопнулся в обморок, а когда очнулся на плечах у майора, описался и наложил в штаны.

В плену он почти сразу согласился перейти к Исмаилову, принять мусульманство и стать

303

Хасаном. Сергею даже почудился некий тайный дьявольский смысл в том, что именно Чуню прислали убивать доктора Тихорецкую.

Бывший старший сержант Трацук смотрел на бывшего майора Логинова совершенно пустыми безумными глазами.

«Значит, они все-таки нашли смертника», — спокойно подумал Сергей.

* * *

— Здравствуйте, Мишенька, как хорошо, что вы приехали, — генеральша поцеловала Райского в щеку и грустно заметила: — Вы небритый и похудели.

— Как Владимир Марленович? — спросил полковник, снимая ботинки.

— Спит. Пойдемте, я пока кофе вам сварю.

— Да, спасибо. Но у меня очень мало времени, — Райский прошел за ней в кухню, сел и сразу закурил. — Наталья Марковна, это правда? — спросил он тихо.

— Что, Миша? — она стояла к нему спиной, сыпала молотый кофе в турку и не обернулась.

— Диагноз совершенно точный? Или...

— Или, Мишенька, или, — она поставила турку на огонь, помешала кофе ложечкой.

— То есть серьезного обследования пока не было?

— И вряд ли будет, — генеральша улыбнулась, — знаете, Миша, я вызвала к нему онколога, еще там, на Корфу. Добрый грек сказал, что ему остался всего лишь месяц. Володя не хочет тратить эти тридцать дней на медицинские процедуры. И все. Давайте мы с вами сменим тему. Знаете, ваша идея с двойником чуть не свела меня с ума.

— Да, простите, следовало предупредить вас заранее, — ошарашенно произнес Райский.

Он все никак не мог переварить услышанное. Он понял только одно: генералу действительно остался месяц и надежды нет. Потому что, если бы имелась хоть малейшая надежда, его бывший шеф стал бы лечиться.

— Стас знает о двойнике? — спросил он, глухо откашлявшись.

— Нет, — Наталья Марковна повернулась, и полковник увидел, что она улыбается, — вы, Миша, великий конспиратор. Володя всегда говорил, что вы помешаны на секретности. А почему вы спросили, знает ли Стас? Разве это сейчас важно? Он ведь остался на Корфу.

— Он сбежал с виллы, — вздохнул Райский, — мне звонил ваш Николай. Сказал, что боится сообщать вам такое по телефону, и попросил, чтобы это сделал я.

— Так я и думал, — прозвучал в дверях хриплый слабый голос.

Оба вздрогнули. Генерал стоял в проеме, прислонившись к косяку. Бархатный халат висел на нем как на вешалке. Райский даже не сразу узнал его. Он не представлял, что человек может так сильно измениться всего за две недели.

Владимир Марленович вошел, неслышно ступая. На ногах у него были толстые шерстяные носки вместо тапочек. Он медленно, осторожно опустился в кресло-качалку у окна. Райский загасил сигарету.

— Да ладно тебе, кури, — махнул рукой генерал, — теперь уж все равно. Налей-ка мне тоже кофейку, Наташа. Очень вкусно пахнет. Значит, засранец мой сбежал из-под чуткого надзора Николая? А я думаю, что это они с Оксаной все крутят? То он спит, то на пляже, то в душе. И телефон его мобильный выключен. Давно это случилось?

— Почти двое суток, — мрачно ответил Райский, избегая смотреть в глаза генералу. О том, что предшествовало побегу, о приступе буйства и ночном визите психиатра, он решил не рассказывать.

— Может, это первый в его жизни мужской поступок? — задумчиво, с мягкой улыбкой произнес генерал. — А, Наташа, как тебе кажется? Да не разбавляй ты мне кофе кипятком, я хочу крепкий.

— Что, Володя, ты думаешь, он, как герой американского боевика, решил в одиночку бороться со своими врагами? — покачала головой генеральша.

— Нет, Наташа, ты ошибаешься, — генерал осторожно поднес к губам кофейную чашку, — сейчас такими героями кишат и наши боевики, просто мы с тобой давно не смотрели телевизор. Миша, — обратился он к полковнику, — тебе ведь так и не удалось выяснить, кто охотится за моим сыном?

— Ну почему? Работа ведется, определенные подвижки есть, — пробормотал Райский, — в любом случае основной удар примет на себя двойник, стало быть, безопасность Стаса обеспечена.

— Понятно, — кивнул генерал, — а как обстоят дела с Шамилем Исмаиловым? Тоже есть определенные подвижки?

— Владимир Марленович, — Райский впервые решился посмотреть прямо в глаза генералу, — я должен признаться вам. Я ошибся. За Стасом охотится не Исмаилов, а кто-то другой. И я до сих пор не знаю кто. Простите меня.

— Миша, Миша, — вздохнул генерал, — ты заигрался в наши игры. Я еще давно, много лет назад подозревал, что это с тобой произойдет. Но тогда я не видел в этом беды. Я был таким же, как ты, как все мы, — генерал прикрыл глаза, и показалось, что он уже не дышит.

— Владимир Марленович, — осторожно произнес Райский, — пока известно только, что с острова и вообще из Греции Стас не улетал на самолете. Кредитками не пользовался.

— У него достаточно наличных, — отозвался генерал, не открывая глаз, — свяжись с пограничниками в Шереметьево. Но и без этого я знаю, что он уже здесь, в Москве. Он вылетел из Турции или из Болгарии. Поселился в какой-нибудь окраинной частной гостинице и пытается связаться с одной из наших бандитских крыш напрямую.

— Через Плешакова? — тревожно спросил Райский.

— Нет. Вряд ли. Он не доверяет Плеши. Я не исключаю, что у него есть какие-то свои, совершенно отдельные связи. Но ты сейчас все равно его не найдешь. И не надо. Пусть пока никто не знает, что он здесь.

— Володя, что ты такое говоришь? — вмешалась Наталья Марковна. — Надо найти его, мы не можем так все оставить.

— Мы, Наташенька, сейчас уже ничего не можем, — слабо улыбнулся генерал, — я сделал все, что было в моих силах. Следует дать ему шанс хотя бы что-то в этой жизни сделать самому, потому что меня уже очень скоро не будет рядом.

— Владимир Марленович, но его необходимо найти и предупредить о двойнике, иначе поломается вся игра, — медленно и удивленно проговорил Райский.

— Да, Мишка, ты действительно заигрался, — покачал головой генерал, — я верю, ты поймаешь Исмаилова. Ты нашел отличный ход. Этот твой майор... Я не спрашиваю, где ты его откопал, и мне не жаль денег, которые ты потратил на пластическую операцию. Он многое может, ты постарайся его сберечь. И не жертвуй им ради Исмаилова, он тебе потом еще пригодится. А генеральские погоны ты все равно получишь, пусть не сейчас, позже. Но не заигрывайся. Время летит страшно быстро. Есть вещи, которые важнее и сильнее нашей интересной, но чрезвычайно паскудной работы. Вот эта дрянь, которая жрет меня изнутри, она сильнее и важнее любой работы. И зло, которое мы делали ради работы, тоже, оказывается, важнее и сильнее ее.

«Вы не правы, генерал. Вы не правы хотя бы потому, что умираете. А я нет», — подумал Райский, но, конечно же, не произнес этого вслух.

* * *

«Он наколотый, ему ничего не страшно. Он ворвется в кабинет и выпустит всю обойму. Правильно, они ведь знают, что у подъезда дежурят наружники, которые могут его остановить. Они все рассчитали точно. В коридоре и в холле полно народу. Обезвредить его без стрельбы, без жертв практически невозможно. Какие у меня шансы? Они рассчитали все, но не учли, что здесь окажусь я и вычислю его раньше, чем он начнет действовать».

Сергей вошел в кабинет и запер дверь изнутри на английский замок.

— Что вы делаете? — удивилась медсестра.

Он не ответил, достал телефон, набрал номер Райского.

— Михаил Евгеньевич, он здесь.

Полковник только что вышел из подъезда генеральского дома, мрачный и раздраженный. Он не сразу узнал Сергея, не понял, о чем речь, и, перекрикивая уличный рев, спросил:

— Кто? В чем дело?

— Свяжитесь с вашими людьми в клинике. Очень срочно. Это старший сержант Трацук. Ну вспомните пленку. Хасан, который расстреливал заложника. Он смертник. Он сидит в коридоре на третьем этаже, у тридцать первого кабинета. Вокруг полно народу. Оружие у него в правой руке, прикрыто журналом. Длинные желтые волосы, круглое лицо, на вид чуть больше двадцати, одет в синие джинсы и черную кожанку.

Пока Сергей говорил, он успел опустить жалюзи. За окном собиралась гроза. Небо почернело. В кабинете стало совсем темно. Юля и рыженькая медсестра застыли и молча смотрели на него. Их глаза блестели в темноте.

— Погодите, майор, вы сами где сейчас находитесь?

Но Сергей не ответил. Дверь сильно дернулась. Конечно, Чуня не мог узнать своего бывшего командира. Но у Чуни было чутье смертника, он просто почувствовал, что человек, вошедший в кабинет, может ему помешать, и начал действовать.

— Ключ! — вскрикнула медсестра и зажала ладонью рот.

Когда Сергей вошел сюда в первый раз, он успел заметить, что в кабинете есть еще одна дверь, но ведет она в тупик, в маленькую комнатку, где нет ничего, кроме шкафа, двух кресел и журнального стола.

— Ключ торчит снаружи, в коридоре, — опомнившись, прошептала Юля, подхватила Вику и затащила ее в комнату отдыха.

Дверь дернулась еще раз, а потом щелкнул замок.

— Не вздумайте стрелять, майор! — кричал Райский в трубку. — Вы засветитесь, и все полетит к черту! Его надо взять и допросить! Я сейчас же связываюсь с моими людьми!

— Постараюсь, но не обещаю, — пробормотал Сергей, расстегнул куртку и достал из-под мышки свой новенький ПММ.

Он стоял у двери, прижавшись к стене. Дверь распахнулась. Вспыхнула молния, на несколько секунд комната наполнилась тонкими полосками света. Сквозь щель он увидел сначала ствол с навинченным глушителем, потом курносый профиль Чуни. Стало опять темно, ударил гром, и Сергей бесшумно выскользнул из-за двери.

Удар ногой под колено повалил Чуню на пол. Одновременный удар рукоятью пистолета по запястью выбил у него оружие. Пистолет с глушителем отлетел в угол. Следующая вспышка молнии осветила двух людей на полу кабинета. Сергею удалось заломить Чуне руки за спину. Смертник бился, извивался и бормотал что-то по-чеченски.

— Чуня, затихни, — сказал Сергей ему на ухо, — успокойся, старший сержант Трацук.

Смертник дернулся, пытаясь повернуть голову. Через секунду в кабинет влетели два санитара и охранник, вспыхнул свет. На Чуниных запястьях защелкнулись наручники. Белые глаза бессмысленно скользнули по лицу Сергея.

Сергей взглянул на того санитара, с которым всего двадцать минут назад столкнулся у двери кабинета, и тихо произнес:

— Если бы ты был я, точно, не успел бы.

Чуня шел по коридору в наручниках, между двумя санитарами, и тонким пронзительным голосом проклинал весь мир, перемежая русский мат с чеченскими ругательствами и проклятьями. Все, кто находился в коридоре на третьем этаже клиники, пациенты, врачи и медсестры, провожали процессию удивленными взглядами.

— А вы знаете, — обратилась к своей соседке дама с пеликаньим зобом, — среди людей, которые обращаются к хирургам-пласти-кам, довольно часто попадаются сумасшедшие.

— Неужели он напал на врача? — испуган-но прощебетала девушка с ожогом. — Ужас ка-кой!

— Теперь понятно, почему здесь такая су-ровая охрана, — заметил мужчина с родимым пятном.

В кабинет влетел пожилой румяный толстяк с бородкой, в белом халате и, пыхтя, кинулся к Юле.

— Деточка, вы в порядке? Господи, я чуть с ума не сошел, ну-ка посмотрите мне в глаза! Блед-ная, аж синяя вся. Вика, а ты как себя чувству-ешь? Здравствуйте, — походя кивнул он Сергею.

— Все нормально, Петр Аркадьевич, все уже хорошо, — слабо улыбнулась Юля. — Погоди-те, мне надо дать Вике успокоительное.

Она стояла у открытого стеклянного шкафа и держала в руках оранжевую аптечную бу-тылку. Рыжая медсестра сидела на банкетке и дрожала так сильно, что зубы ее отбивали дробь. За окном хлестал ливень.

— Нет, это кошмар какой-то, честное сло-во, — толстяк упал в кресло, — а что у вас есть, детка? Дайте мне тоже.

— Пион уклоняющийся, — пробормотала Юля, — дурацкая крышка, никак не могу от-крыть.

Сергей взял у нее из рук пузырек, открыл, она накапала в пластиковый стаканчик коричневую жидкость и поднесла к трясущимся губам медсестры.

— Викуша, выпей, все уже хорошо.

Вика залпом проглотила капли и сморщилась, Юля взяла у нее стакан, налила еще и протянула Мамонову.

— Какая гадость, — сморщился он. — Викуша, детка, как вы?

— Уже ничего, Петр Аркадьевич. — Вика встала, открыла холодильник, достала бутылку воды и спросила: — Кому-нибудь налить минералки?

Никто ей не ответил. Она оглянулась и тихо ахнула. Главный врач сидел, подавшись вперед всем корпусом и вцепившись в подлокотники. Очки его сползли на кончик носа, рот был приоткрыт. В дверном проеме застыла мощная фигура санитара. Откуда-то из его шеи звучал глухой настырный голос:

— Пятый, пятый, как слышите? Прием!

Юлия Николаевна Тихорецкая и пациент по фамилии Найденов стояли у окна и целовались так самозабвенно, словно были здесь одни.

* * *

Стас потерял счет времени, не мог понять, утро сейчас или вечер. Он то проваливался в тревожный сон, то просыпался от лютого холода. Озноб сменялся огненным жаром. Он выпил всю минеральную воду из мини-бара.

Очнувшись в очередной раз, он обнаружил, что не осталось ни глотка. Постельное белье было влажным. Он плавал в собственном поту, умирал от жажды и головной боли. Рядом на тумбочке стоял телефон, под ним на карточке был записан номер администратора. В глазах рябило, он не мог разобрать цифры. Принялся вертеть диск и, только услышав долгие гудки, понял, что звонит вовсе не администратору, а Эвелине. Трубку не брали страшно долго, наконец сонный сердитый голос ответил:

— Да. Слушаю.

— Линка, это я, — прохрипел он жалобно, — ты можешь ко мне сейчас приехать?

— Ты знаешь, который час? — спросила она возмущенно.

— Нет. Мне очень плохо. Я ничего не вижу.

— О Господи, Герасимов, с тобой, честное слово, не соскучишься. Что на этот раз случилось?

— Я заболел. У меня очень высокая температура.

— Врача вызывал?

— Не могу, Линка. Я не дома. Я в гостинице, под чужим именем.

— Ну здравствуйте, — нервно хмыкнула она, — это что-то новенькое.

— Никто не должен знать, что я в Москве, понимаешь?

— Пока нет, — честно призналась она.

315

— Слушай, мне тяжело говорить. Приедешь, все объясню. Мотель называется «Светлячок», недалеко от Речного вокзала. Адрес не записывай, запомни. Привези мне каких-нибудь лекарств от гриппа, от простуды, витаминов, воды побольше, в общем сама разберешься. Администратору внизу скажешь, что ты в седьмой номер к Сидорову Ивану Ивановичу.

— О Боже! — тихо вскрикнула Эвелина.

Стас отключил телефон и опять заснул.

Разбудил его настойчивый стук в дверь. Он встал, накинул одеяло на плечи, открыл.

В комнате был полумрак. Эвелина положила тяжелый пакет на тумбочку, поцеловала его в щеку и вдруг отпрянула так резко, что шарахнулась затылком о дверь.

— Стас... — она щелкнула выключателем и медленно опустилась на пол, — Нет, я, конечно, могла незаметно свихнуться. Но Плешаков... И твои родители... Он ведь ездил встречать твоих родителей... А, я поняла, это нарочно так устроили, для твоей безопасности... Ой, кретинка... — Она закрыла лицо руками и несколько секунд сидела на полу, качаясь и тихо постанывая.

— Перестань, Линка, при чем здесь Плешаков и мои родители? Никто ничего не знает. Мне плохо, я лягу. Ты градусник привезла? — вяло бормотал Стас, укладываясь и забиваясь под одеяло. — Встань и накрой меня чем-нибудь еще, мне холодно.

Эвелина резко вскочила, суставы затрещали, глаза запылали, она подошла к Стасу и стянула одеяло с его головы.

— Все! С меня довольно! Сыта по горло! Трудно было предупредить? Ты просто забыл, тебе наплевать, как всегда! Я не люблю, когда из меня делают идиотку, и никому этого не позволю, даже тебе, Герасимов! — она схватила пакет, вывалила на кровать его содержимое, пластиковые бутылки с глухим стуком покатились на пол, — вот тебе минералка, панадол, аспирин, градусник, и привет, дорогой. Поправляйся!

— Лина, подожди! — простонал Стас, но она уже вылетела из комнаты и захлопнула дверь.

Он встал, выглянул в коридор, чуть не упал от слабости, увидел, как высокая тонкая фигура в белом костюме несется к лестнице, еще раз позвал ее, и она вернулась.

* * *

Пистолет, вылетевший из рук Чуни, был швейцарский «Зиг-Зауэр» с глушителем, одна из последних моделей. При обыске обнаружили три фотографии доктора Тихорецкой. Те самые, что висели в Интернете, на молодежно-музыкальных сайтах рядом с фантастическими рассказами о злоключениях Анжелы.

Паспорт он сдал при входе охраннику в обмен на пропуск, как было положено в клинике.

Документ на имя Николаева Александра Петровича оказался грубой фальшивкой.

На первом допросе Трацук Андрей Иванович сообщил, что является фанатом певицы и решил расправиться с хирургом, поскольку прочитал, что звезде собираются делать совсем другое лицо, не такое, как было раньше. Пистолет купил у трех вокзалов с рук за двести долларов. На замечание, что такая пушка стоит не меньше тысячи, он никак не отреагировал.

Впрочем, вскоре у Чуни началась ломка, и он потребовал, чтобы срочно собрали пресс-конференцию.

— Я хочу сделать официальное заявление! Меня похитили и тайно вывезли в Пакистан. Там, под землей, секретная база. Меня привязывали к койке, кололи какими-то препаратами и пропускали через меня электрический ток. Потом заставляли убивать. — Он говорил все это глухим механическим голосом, глаза его сухо сверкали. — В таком состоянии я мог бы убить родную мать и вообще кого угодно. Дайте мне вмазаться!

Чем сильнее его ломало, тем настойчивее он требовал собрать пресс-конференцию и привлечь внимание всей мировой общественности. Речь его становилась все невнятнее, он пожирал глазами шприц с дозой метадона и, уже корчась в судорогах, прохрипел, что доктора Тихорецкую ему приказал убить некто Исса, толстый мужчина лет пятидесяти с большим животом. Фотографии, оружие и всю необходимую информацию он получил от Иссы в машине, за полчаса до того, как вошел в клинику. На этой машине его вывезли из какого-то дома, который стоял в лесу, и довезли почти до самой клиники.

Сколько времени его везли, какой марки была машина, как долго он жил в этом доме, откуда и каким образом попал туда, кто находился с ним, Чуня не помнил. Допрашивать дальше без укола не имело смысла. У Чуни начались судороги. Получив вожделенную дозу, он впал в бессознательное состояние. Его поместили в бокс Лубянской внутренней тюрьмы. Все, охрана и медицинское наблюдение, было на самом высоком уровне.

Той же ночью бывший старший сержант Андрей Трацук скончался от острой сердечной недостаточности.

———

ГЛАВА СОРОКОВАЯ

В семь утра Сергея разбудил шальной, настойчивый звонок. Он заметался между телефонами и не сразу сообразил, что звонят в дверь. Накинул халат, вышел босиком в прихожую и припал к глазку. За дверью стояла странная фигура. Мешковатые трикотажные штаны с лампасами, джинсовая крутка, большие очки в толстой черной оправе, короткая темная бородка, серая тряпочная кепка с мятым козырьком. На плече болталась плоская капроновая сумка.

— Стас, ну что ты смотришь? — усмехнулся незнакомец, еще раз нажимая кнопку звонка. — Давай открывай. Это я.

Нечто страшно знакомое мелькнуло в этой усмешке, искаженной круглым стеклышком дверного глазка. Дверь глушила голос, он был едва слышен. У Сергея пересохло во рту и дико стукнуло сердце. Почти не касаясь пола, он кинулся в спальню, достал из-под подушки пис-

320

толет, сунул его в карман халата, вернулся в прихожую и защелкал замками.

Гость переступил порог, снял кепку, бросил ее на тумбочку, снял очки в дешевой оправе, повернулся к зеркалу и аккуратно пригладил светлые вьющиеся волосы.

Сергей заметил, что стекла в очках простые, без всяких диоптрий.

— Прости, что так рано. Я улетаю через два часа, — гость резко повернулся, — что у тебя с лицом? Два дня назад вроде не было ничего.

— А, это? — Сергей бросил взгляд в зеркало и тронул щеку. — Складки от подушки.

— Да, вижу, ты крепко спал, не проснулся еще, — гость рассмеялся, похлопал Сергея по плечу, — пойдем, сваришь кофе и расскажешь, что у тебя за проблемы, кто и почему наехал. Или, может, я не вовремя? Ты не один? — он отстранил Сергея, заглянул в приоткрытые двери комнат.

Сергей сунул руки в карманы, на ощупь щелкнул предохранителем и направился в спальню.

— Ты куда? — тревожно спросил гость, тоже сунул руки в карманы своей джинсовой куртки и шагнул вслед за Сергеем.

— Я переоденусь.

— Брось, и так сойдет. Времени мало, проблем много. Слушай, ты не помнишь, когда в последний раз бабки на мой счет ушли?

— Недавно. Дня три назад.

Они стояли в темном коридоре у двери спальни, совсем близко, и смотрели друг на друга.

— Черт... И сколько там было? — пробормотал гость, не отводя взгляда.

— Семьдесят, — Сергей развернулся и направился в гостиную. Гость последовал за ним, как на привязи.

— Слу-ушай, — задумчиво протянул он, усаживаясь на диван, — а нельзя как-нибудь крутануть назад?

Сергей включил чайник, достал турку, насыпал зерна в кофемолку. Пока она гудела, оба молчали. Сергей стоял спиной к гостю. Их разделяло метра три, не больше.

— У тебя что-то случилось? — спросил он, не оборачиваясь.

— Да, понимаешь, есть одна проблема. Но об этом позже. Нет, ты скажи, в принципе можно вытянуть с того счета бабки назад или нельзя никак?

— Все? — уточнил Сергей, помешивая кофе.

— Не знаю. Хотя бы часть. Я в ваших банковских делах ни хрена не понимаю, — гость повысил голос, — я только знаю, что с того счета я теперь не могу снять ни гроша. А бабки мне сейчас нужны позарез, — он вдруг легко соскользнул с дивана и двинулся на Сергея, продолжая держать руки в карманах куртки. — Ладно, об этом после, а то как-то нехорошо получается. Ты пришел ко мне со своими проблемами, поговорить нам у Иссы не удалось, теперь я пришел к тебе и сразу гружу тебя своими проблемами. Смотри, сейчас убежит!

Сергей сдернул турку, кофейная пена зашипела на электрической конфорке.

— Шамиль, ты есть хочешь? — спросил он, все еще не оборачиваясь, чувствуя, как зудят шрамы на лице и как першит в горле от звука этого ненавистного имени.

— Стас, ты какой-то не такой, — медленно проговорил чеченец.

Он подошел к стойке вплотную. Сергей слышал его дыхание и запах. От Исмаилова пахло хорошим одеколоном и мятной жвачкой. Дыхание его оставалось спокойным, но голос чуть изменился. Акцент стал заметнее.

— Я дерганый весь, с нервами плохо, — глухо произнес Сергей, вытирая губкой плиту, — наехали на меня, Шамиль. Очень серьезно наехали. Сначала взрывчатка в машине. Потом шофера моего кончили.

— А пистолет подкинули в квартиру твоей женщины? Да, это я помню, ты не повторяйся. Давай дальше.

— Ну а что дальше? Кто-то периодически влезает ко мне в квартиру и гадит, вроде бы по мелочи, но довольно чувствительно, — Сергей заговорил быстро и очень тихо.

Следовало, наконец, повернуться к гостю

лицом. Дыхание за спиной становилось все чаще и напряженнее.

— Вот вчера, например, мне насыпали битого стекла в крем, — произнес он и смущенно усмехнулся.

— Что? — тяжело выдохнул Исмаилов.

— Ну, я кремом лицо мажу на ночь, — Сергей резко развернулся и с размаху напоролся на знакомый немигающий взгляд, — кожа у меня сухая, понимаешь? И вот эти суки намешали осколков в баночку. Видишь, как исполосовало?

Опять повисла пауза. Сергей спокойно отвернулся, достал кофейные чашки и еще раз спросил:

— Так ты будешь есть или нет?

— Нет, — рявкнул Исмаилов, — а то вдруг тебе и в еду чего-нибудь подмешали, а? — он засмеялся, вполне искренне и отступил в глубь гостиной, к дивану, продолжая хохотать. — Слушай, Стас, — произнес он сквозь смех, — что ж вы все здесь такие придурки, а? Вот смотри, дом у тебя престижный, пацаны внизу накачанные, важные, с пушками. Вроде никто посторонний и близко не сунется. А я зашел в гараж, дал пятьдесят рублей охраннику, пока он на меня смотрел, прилепил пару рекламных бумажек на ветровые стекла. Он отвернулся — я быстренько раз, и к лестнице. Через пять минут я у твоей двери. И никто ничего не просек. Вот тебе и стекло в креме, и свинец в башке. Ну ладно, — он отсмеялся, и опять уставился на Сергея, не моргая, — так кто же с тобой такие нехорошие шутки шутит?

— Я не понял, Шамиль, ты кофе будешь пить или теперь опасаешься?

— Да буду, буду. Отравы там нет. Если бы тебя хотели замочить, давно бы уже...

Пока он шел через гостиную с двумя кофейными чашками в руках, взгляд гостя не отлипал от правого кармана его халата.

— Сначала скажи, что у тебя там со счетом, — произнес Сергей, усаживаясь в кресло напротив гостя.

— Ладно, — кивнул тот, — если ты так хочешь, давай начнем с этого. Тем более одно с другим связано. Ты поможешь мне решить мою проблему, и мне будет легче решить твою. Бабки мне сейчас нужны, Стас, — он отхлебнул кофе. Его правая рука все еще оставалась в кармане, чашку он держал левой, — снять со своего счета я не могу. Почему — объяснять некогда. Рано или поздно я с этим разберусь, но бабки нужны сегодня, понимаешь?

— Сколько?

— Ну, штук сто. Кстати, именно столько стоит решение проблемы, если кто-то наезжает на тебя. Ты понял, да? Ты мне потом ничего не будешь должен.

— Такой суммы наликом у меня сейчас

нет, — задумчиво пробормотал Сергей, поднялся, обошел стол и взял телефонную трубку.

— Стой! — Исмаилов предостерегающе поднял левую руку. — Кому ты собрался звонить?

— Хочу попытаться бабки тебе достать, — простодушно улыбнулся Сергей и набрал номер Райского. — Мишаня, привет, это я, Стас, — произнес он, услышав сонный сердитый голос, — разбудил тебя? Ну извини. Срочно нужно сто кусков наликом.

Райский ошалело молчал и дышал в трубку. И слава Богу, потому что телефонный столик с аппаратом стоял рядом с Исмаиловым, и тот, как бы нечаянно, нажал кнопку громкой связи. Дыхание полковника зазвучало на всю гостиную.

— Мишаня, я сейчас дома, ты можешь подвезти деньги в ближайшее время?

— Сто тысяч долларов? — кашлянув, осторожно переспросил Райский.

— Ну не рублей, конечно, — нервно рассмеялся Сергей, — проснись, Мишаня, проснись. Бабки нужны очень срочно.

— Кому?

Исмаилов между тем принялся живо жестикулировать. Ткнул пальцем себя в грудь, отрицательно помотал головой и указал на Сергея.

— Мне, мне лично! Слушай, Мишаня, некогда разговаривать. Давай быстренько, дуй ко мне, я бы не стал тебя грузить, если бы не приперло меня. Все, жду.

— Да, я понял, — пробасил полковник изменившимся голосом, — я выезжаю.

— Слушай, что за человек, у которого есть такие бабки прямо сейчас? — спросил Исмаилов с кривой усмешкой.

В этот момент что-то тихо щелкнуло в прихожей, и через минуту в гостиную вошел Стас Герасимов.

Две руки с пистолетами выскочили наружу из карманов одновременно, секунда в секунду. Исмаилов и Сергей смотрели друг на друга. Разница была только в том, что чеченец продолжал сидеть на диване, а Сергей стоял справа от него.

— Стас, — тихо позвал Исмаилов, — возьми что-нибудь тяжелое и дай ему по башке.

Герасимов не шевельнулся. Он застыл посреди гостиной как изваяние. Лицо его было белым и блестело от пота.

— Стас, тебе просто надо взять в руки любую бутылку из бара, — медленно, монотонно продолжал чеченец, — ты подойдешь, размахнешься и врежешь ему. Через минуту здесь будут мои люди.

— А еще через три минуты здесь будет ОМОН, — сказал Сергей.

— Мои успеют раньше, — заметил Исмаилов, не сводя глаз с Сергея.

— Стас, тебе лучше уйти отсюда. Не бойся,

он не выстрелит. Я не дам ему. Уходи, — сказал Сергей.

Они оба говорили очень тихо, и каждый боялся взглянуть на Стаса, поскольку каждый знал: чтобы выстрелить первым, довольно доли секунды.

Из прихожей послышался шум спускаемой воды. Стукнула дверь ванной.

— Кто там еще? — голос Исмаилова слегка дрогнул. — Стас, кто с тобой?

Герасимов продолжал молчать. В гостиную вошла Эвелина, окинула всех присутствующих быстрым тревожным взглядом, схватила за руку Стаса и, пятясь, потянула его к двери.

— Стоять! — рявкнул Исмаилов.

— Уходите оба! — рявкнул Сергей.

У Исмаилова в кармане зазвучали первые аккорды «Танца маленьких лебедей». Его левая рука рефлекторно дернулась.

— Ответь, — сказал Сергей, — успокой их, сообщи, что все нормально.

Исмаилов едва заметно усмехнулся. Музыка Чайковского еще немного поиграла в его кармане и затихла. Эвелина и Стас медленно, как две сомнамбулы, отступали к входной двери. Когда они открыли ее, с лестничной площадки донеслось несколько глухих хлопков. Стреляли далеко внизу. Сергей понял, что люди Исмаилова выбрали короткий путь, не стали пробираться через гараж, рванули прямо в подъезд и уложили охрану.

— Назад! — крикнул он. — Войдите и запри́те дверь!

В кармане Исмаилова опять зазвучал лебединый танец. Дверь стукнула, но телефонная музыка помешала расслышать, щелкнули замки или нет. Ни Сергей, ни Исмаилов не видели, что происходит в прихожей. Сергей стоял спиной, Исмаилов сидел лицом к дверному проему. Ему достаточно было лишь слегка сдвинуться, чтобы увидеть прихожую. И он не устоял перед соблазном. Этой доли секунды Сергею хватило, чтобы ударом ноги выбить у него пистолет.

Исмаилов в панике дернулся, и Сергей выстрелил ему в колено.

— Это тебе за капитана Громова, — пробормотал он сквозь зубы.

Исмаилов тихо взвыл и стал сползать с дивана. Лицо его побелело, но глаза косились туда, где лежал пистолет.

— Сидеть! — заорал Сергей, пытаясь заглушить в самом себе дикую, гулкую волну ненависти, которая вздыбилась со дна души, пьянила, мешала соображать.

Исмаилов сделал еще одно движение в сторону пистолета, и Сергей прострелил ему второе колено.

— Это тебе за старлея Курочкина!

Прихожая и лестничная площадка грохотали, как при землетрясении. Стальная дверь ходила ходуном. В гостиную влетела Эвелина и крикнула:

— Они стреляют по замку!

Глаза Исмаилова, уже затуманенные болью, вдруг ожили и уперлись Сергею в лицо. У двери нарастала пальба. Стреляли очередями. Вслед за Эвелиной явился Стас.

— Возьмите его пистолет, — сказал Сергей.

— Да, Стас, возьми мою пушку и убей его. Он все равно труп, — прохрипел Исмаилов, — ты труп, майор Логинов. Видишь, я все-таки узнал тебя. Убей его, Стас.

— Стас, возьми пистолет! — повторил Сергей.

— Я не могу, — подал слабый голос Герасимов, — я болен. У меня температура.

Пистолет подняла Эвелина.

— Что теперь? — спросила она.

Но вопроса никто не услышал. Дверь с грохотом распахнулась.

— К стене! Оба! — успел крикнуть Сергей, отпрыгнул и вжался в стену у двери. Стас и Эвелина метнулись к нему. Через секунду в гостиную ворвался бородатый детина в сером костюме со здоровенным штурмовым пистолетом. Рука Исмаилова взметнулась, указывая на людей у стены, но детина уже падал навзничь. Сергей успел попасть ему в голову.

Грохнул еще выстрел, в гостиную ввалился второй охранник, качнулся и рухнул. За ним стояли двое омоновцев.

...Стас Герасимов медленно сполз по стене и сел на пол. Эвелина продолжала стоять, держа пистолет Исмаилова обеими руками. Сергей шагнул к ней и тихо произнес:

— Спасибо, Лина. Вы очень мне помогли. Отдайте, пожалуйста, пистолет.

Она помотала головой.

— Лина, он заряжен.

— Я не могу, — прошептала она, едва шевеля белыми губами, — не могу, у меня пальцы свело.

Пока Сергей осторожно, по одному, разжимал ее ледяные пальцы, в гостиной появился Райский и ни на кого не глядя ринулся к Исмаилову. Тот все еще сидел на полу, слегка покачиваясь. Глаза его были закрыты. Из кармана продолжал звучать «Танец маленьких лебедей». Полковник наклонился, достал телефон и тихо произнес в трубку:

— Слушаю вас.

———

ГЛАВА СОРОК ПЕРВАЯ

Дачный поселок Федотовка находился в тридцати пяти километрах от Москвы. На месте стройки, где пятнадцать лет назад в неглубоком котловане погибла Маша Демидова, вырос шикарный корпус дома отдыха. Рощу обнесли бетонным забором.

Сергей оставил машину неподалеку от железнодорожной станции и отправился пешком к поселку. Там, в доме номер двадцать семь по улице Космонавта Пацаева, был прописан некто Лещук Олег Анатольевич, 1928 года рождения, русский, многократно судимый по разным несерьезным статьям, от хулиганства до мелкой кражи. География его «ходок» обнимала огромное пространство, от Целинограда до Магадана. Последний свой срок, с января 1991 по октябрь 1994, злостный рецидивист Лещук по прозвищу Лещ отбывал в Архангельской области в ИТК «Наркоз».

Было известно, что после освобождения он встал на милицейский учет по месту прежней прописки, в поселке Федотовка, где его все эти годы ждала верная жена Клавдия Лещук, работая бессменной сторожихой.

Но из всей информации, полученной от недовольного Райского, больше всего взбодрил Сергея тот факт, что короткий период с марта 1984 по январь 1986 рецидивист Лещук провел дома, в поселке Федотовка.

Было восемь утра. Дачный поселок только начал просыпаться. Цепочка ветхих прозрачных заборов, за которыми виднелись старые деревянные дачи, иногда прерывалась бетоном и сталью. За этими глухими оградами, за стальными воротами, прятались каменные виллы. Дом номер двадцать семь оказался последним по улице Пацаева. Он стоял немного на отшибе, как и положено сторожке.

Сергей остановился и тихо присвистнул. Вместо ветхой косой избенки, которую он ожидал увидеть, перед ним высился двухметровый стальной забор, выкрашенный темно-зеленой краской. Ворота были наглухо закрыты. Над ними виднелся оранжевый гребень черепичной крыши, белая тарелка космической антенны.

Прямо на Сергея вопросительно глядел блестящий глазок видеокамеры. Терять было нечего. Не раздумывая, он нажал кнопку звонка. Тут же перед ним открылась высокая стальная калитка и появился здоровенный охранник в пятнистом камуфляже.

— Привет, — сказал ему Сергей, — Лещук Олег Анатольевич здесь живет?

Никаких эмоций на лице охранника не отразилось, он молча кивнул, пропустил Сергея внутрь и закрыл калитку.

Посреди просторной, аккуратно подстриженной лужайки стояла трехэтажная белая вилла. Рядом теннисный корт, за домом виднелся край бассейна, оттуда слышался плеск и приглушенный женский смех.

В дом Сергея ввели двое в камуфляже, с автоматами, и вид у них был такой, словно он явился сюда не по собственной воле и собирается куда-то убегать.

Оказавшись в просторном полутемном холле, Сергей сначала ничего не увидел. Один из охранников быстро обыскал его, достал из-под мышки пистолет и шагнул в глубину комнаты.

— Ну надо же, — прозвучал оттуда хриплый тяжелый бас, — все прямо как у больших.

Глаза привыкли к полумраку. Сергей разглядел в огромном кресле у камина пожилого тощего человека в полосатом банном халате. Невозможно было поверить, что ему еще нет сорока.

— Привет, Герасимов, — сказал хозяин, — проходи, садись. Я как раз завтракать собрался. Составишь компанию?

— Привет, Михеев, — кивнул Сергей, — спасибо, не откажусь.

— Палыч, — поправил хозяин, — теперь меня так надо называть. Ну что, Герасимов, вычислил моего свидетеля? Не ожидал от тебя, честное слово, не ожидал.

— Что же мне оставалось делать, Палыч? — вздохнул Сергей.

— Тебе объяснили, что делать. На бумажке написали. Ты тот листочек потерял?

Повар принес огромный поднос, на котором, кроме серебряного кофейника и трех массивных фарфоровых чашек, стояло блюдо с дымящимися варениками, хрустальные вазочки с медом и сметаной, кувшин с молоком.

— Что ты замер, Стас? — спросил Михеев, подцепил вилкой вареник, обмакнул в сметану и отправил в рот. — Какая-то у тебя запоздалая реакция, честное слово. Я думал, ты сразу удивишься, а до тебя только сейчас дошло, — он жевал и продолжал с набитым ртом: — Вот смотри, как интересно получается. Когда ты приехал ко мне в Выхино, ты все воспринял как должное. Ты сразу и с удовольствием поверил, будто я спился, опустился и подыхаю. А теперь, когда видишь истинное положение вещей, удивляешься. Странный ты человек, Стас, — он налил себе молока, хлебнул, — ну как насчет того листочка? Слова исчезли, но в голове твоей должны застрять накрепко. Этот листочек для тебя, Герасимов, вроде рецепта от всех твоих мучительных болезней и проблем.

Сергей не спеша обмазал вареник сметаной, съел, запил молоком и произнес:

— С вишнями. Очень вкусно. Видишь ли, Палыч, я так устал за это время, что даже читать разучился. Может, ты объяснишь мне еще раз, на словах?

Повисла пауза. Сергей почувствовал затылком, что кто-то смотрит на него. Он обернулся, увидел в дверном проеме высокую женщину в банном халате, с длинными мокрыми волосами и машинально поздоровался:

— Доброе утро, Ирина Павловна.

Она не ответила. Продолжая смотреть на него, прошла босиком по ковру, пересекла гостиную, подошла к брату и, присев на подлокотник его кресла, что-то зашептала на ухо. Сергей заметил, как они похожи, хотя вроде бы совсем разные.

Михеев выслушал, кивнул, щелкнул пальцами. Явилась пожилая горничная в белом фартуке, сдвинула какую-то тяжелую причудливую штуку, которая напоминала абстрактную скульптуру, но оказалась торшером. Горничная включила его и повернула таким образом, что свет ударил Сергею в лицо.

Ирина между тем уселась в кресло, налила себе молока. Брат и сестра остались в темноте. На минуту Сергей ослеп.

— Да, Ирка, ты права, — донесся до него бас Михеева, — но смотри-ка, ведь одно лицо! А я думаю, что-то с ним не то. Круто, нечего сказать. Папа денег не пожалел. Еще и шрамы от пластической операции остались. Ну давай, милый, заново знакомиться.

— Найденов Сергей Михайлович, — представился Сергей и налил себе молока.

— В каком ты чине, служивый? — насмешливо спросила Ирина. Голос у нее был низкий, глубокий. В огромных черных глазах ни вражды, ни напряжения. Только любопытство.

— Майор ФСБ, — ответил Сергей.

— Это замечательно, — рассмеялся Михеев, — ну и чего ты хочешь, майор?

— Я сюда приехал, чтобы поговорить с Лещуком Олегом Анатольевичем. Но уж коли мне сразу так повезло, с удовольствием поговорю и с тобой, Палыч, и с вами, Ирина Павловна.

— Говори, — кивнул Михеев, — слушаем тебя.

— Зачем вам все это надо? — спросил Сергей. — Я знаю, ты, Палыч, не убивал Машу Демидову. Тебя посадили зря. Но ведь и Герасимов ее не убивал. Это был несчастный случай.

— Значит, я, по-твоему, идиот? — тихо, задумчиво произнес Михеев.

— Нет. Ты, Палыч, не идиот, — улыбнулся Сергей.

— Ну спасибо, майор, утешил. Несчастный случай, говоришь? — Он опять щелкнул пальцами и спросил горничную: — Как там у нас, Олег Анатольевич проснулся?

337

Горничная кивнула и удалилась. Несколько минут в гостиной было тихо. Наконец послышались шаги, и в дверном проеме появился маленький сгорбленный старик в белых брюках и голубой футболке. Блестящую лысину обрамлял тонкий венчик седого пуха. Руки были покрыты татуировками.

— Доброе утро, Палыч, — сказал он, испуганно озираясь и как будто не замечая Сергея.

— Привет, Лещ, — кивнул Михеев, — надень-ка очки. Посмотри, какой у нас гость.

Старик достал из кармана очки, нацепил на нос, повернулся к Сергею и впился в него маленькими близорукими глазами. В гостиной опять стало тихо. Сергей заметил, что губы старика зашевелились, сначала он бормотал что-то совсем неслышно, потом все громче, словно кто-то внутри него медленно увеличивал звук.

— Паскуда! — услышал Сергей. — Отруби ему нос по самые яйца, Палыч, либо я не выдержу, сам его, гниду, загрызу, — старик шагнул к Сергею.

— Спокойно, Лещ, спокойно, — остановил его Михеев, — видишь ли, у него память отшибло. Ты сначала расскажи ему все, что мне тогда в «Наркозе» рассказал, когда мы с тобой в больничке подыхали оба. Прямо так, как мне, расскажи ему.

— А-а, под стебанутого косишь! — закричал старик. — Не верь ему, Палыч! Фуфло гонит!

338

— Не волнуйся так, Лещик, сядь, остынь, — ласково произнесла Ирина. — Посмотри, шрамы у него. В аварию попал, башкой стукнулся. Правда, не помнит.

Старик, продолжая пыхтеть и сверкать глазами, опустился на край кресла напротив Сергея:

— Не помнишь, значит, ничего, гумозник? Ну ладно, слушай. Той ночью я полез на стройку за кабелем. Смотрю, идут двое от станции. Я заныкался между плитами, сижу, не дышу, и все мне видно. Прожектор горит, светло как днем. Машу я сразу узнал. Короче, идет она, быстро так, а ты за ней. Она тебе говорит: «Отвяжись, Герасимов, катись отсюда». Ты ее уламываешь, канючишь, мол, то да се, жить без тебя не могу, за тобой приехал, больной, с температурой, давай, поехали, мол, ко мне, дома никого, только нянька старая, глухая, и плюнь ты на них на всех. А она тебе: «Герасимов, ты что, не понял? Ты мне надоел с твоей температурой! Отвяжись, глупая обезьяна». Она как раз к котловану подходила, тут ты кинулся на нее, схватил за плечи, стал трясти и орать, чтоб она не смела так говорить и никогда не называла тебя глупой обезьяной. А она рассмеялась тебе в лицо и еще раза три повторила: «Герасимов, ты глупая обезьяна!» И попыталась вывернуться из твоих рук. Ты ее пихнул, резко так. Она легонькая, как птичка, отлетела к краю котлована и прямо туда. Я слышу удар, глухой, жуткий и крик. Она крикнула, но слабо совсем. Пока падала, понять не успела, а там уж ее сразу, насквозь. Ты шагнул к краю, глянул вниз. Минуту всего смотрел, а потом драпанул к станции. И все. И нет тебя.

Подхожу я, гляжу, она там лежит и дергается, словно ток через нее пропускают, — старик зажмурился, тряхнул головой, — я же ее маленькую знал, видел, как ее здесь в коляске возили. Спускаюсь туда и сам не соображаю, что делаю. Сначала хотел вытащить из нее железку, потянул и понял — нет, не выйдет. Это штырь, арматура, торчит из плиты. Попробовал поднять, перевернуть, тоже не получилось. Сколько возился там с ней, не знаю. Опомнился, смотрю, сам-то весь в ее кровянке. А ей уж не поможешь. Отходит она. Я говорю, прости меня, Машенька, я ж человек судимый, меня сразу заметут. Тут Палыч прибегает, ну, то есть тогда еще Юрка Михеев. Я едва заныкаться успел, а уйти все не могу, думаю, вдруг все же спасут? Он кричит, бьется над ней, мечется, кинулся за помощью, привел народ к котловану, опять к ней спустился и все голову ей держал, будто она еще что-нибудь чувствовала. В общем дальше понятно, общий шухер, менты. Я, конечно, смылся по-тихому, но потом в себе долго грех этот нес. Когда узнал, кого осудили, думал даже пойти в ментовку и все рассказать, что видел. Но куда мне? Какой я свидетель? Понятное дело, не поверят, а еще и заметут наверняка. Я ж туда воровать залез. А потом мы с Юрой, то есть с Палычем, оказались в «Наркозе», в больничке, на соседних койках.

Старик замолчал. Было слышно только его тяжелое, хриплое дыхание. Он уже не смотрел на Сергея. Глаза его беспокойно шарили по столу.

— Нет, Лещ, — покачал головой Михеев, — утром я тебе не налью. Вон молочка выпей и съешь что-нибудь.

— А как же? — старик всхлипнул и шмыгнул носом. — А за Машеньку-то? Чтоб земля ей пухом... Налей, Палыч, душа горит, сил нет.

— Все, иди, старик, отдыхай.

Охранник бережно подхватил Леща под руку и повел на улицу. У двери он оглянулся и посмотрел на Сергея.

— Много всякого говна видел, но ты один такой, понял?

После его ухода повисла тишина. За окном щебетали утренние птицы. Неслышно подошел охранник и протянул хозяину коробочку размером со спичечный коробок. Внезапно Михеев прицелился и кинул ее Сергею. Тот едва успел поймать. Это оказалась кассета от диктофона.

— Пусть Герасимов послушает, — усмехнулся Михеев, — авось, память освежит. Если в течение ближайших двух дней он не напишет чистосердечное признание и не отнесет его в прокуратуру, он умрет. Нам уговаривать его надоело. Ирку муж и ребенок во Франции ждут, у меня дел много. Хватит уж с ним возиться.

— Зачем тебе его признание? — тихо спросил Сергей. — Срок давности истек, да и никто не назовет это убийством. Причинение смерти по неосторожности. Максимум два года.

— Я хочу, чтобы меня реабилитировали.

— Посмертно?

— Не перебивай, майор, — Михеев нахмурился и легонько хлопнул ладонью по столу, — последние три года в «Наркозе» мне каждую ночь снилась встреча с ним. Мне хотелось посмотреть ему в глаза, а потом убить. Но когда я вышел и пожил немного на воле, я понял, что сны мои всего лишь глупенькая, наивная сказка, знаешь, вроде старинной блатной песни про сына прокурора. Там, на зоне, эта романтика меня держала, поднимала высоко. А здесь она только застилала глаза. Пять лет я просто наблюдал, как он живет, и пытался понять, есть ли альтернатива моим романтическим снам? Я мог сто раз убить его, но это было слишком важно для меня, и я не спешил. В этом году, в марте, приехала Ирка, и сказала, что нельзя так долго себя мучить. Надо либо начать действовать, либо забыть и оставить его в покое. И тогда я послал своих людей цеплять взрывчатку к его машине, я хотел устроить что-то вроде стартового хлопка. Сесть в машину ему бы не дали, отвлекли, но взорвалась бы она у него на глазах. Получилось все немного иначе, однако тоже неплохо. Позже, когда Ирка рассказала мне, как он вел себя в спортивном клубе, кстати, это мой клуб, так вот, когда она рассказала, как он там оттягивался и стрелял глазками, я понял наконец, чего хочу: признания. Да, Юра Михеев умер. Но он не был убийцей. А Стас Герасимов — убийца. И это должно быть известно, прежде всего ему самому.

— Юра Михеев, конечно, не убийца, — медленно проговорил Сергей, — но Палыч приказал убить шофера Гошу, Георгия Завьялова.

— А речь сейчас вовсе не о Палыче, — помотал головой Михеев, — что касается Завьялова, он честно заслужил свою пулю, когда в «Наркозе» пихал мужиков головой в очко сортира и заставлял каждое утро на сорокаградусном морозе босиком, в одних подштанниках зарядку делать. Ну и к тому же он видел меня и мог узнать. На фига мне эти ландыши? — Михеев налил себе еще молока, выпил залпом, как водку, промокнул губы салфеткой. — Если в течение двух суток не уговоришь Стаса написать чистосердечное признание, он сдохнет. И никто, ни папа-генерал, ни ты, майор, ни вся ваша уважаемая структура, его не спасут. Веришь мне?

— Верю, — кивнул Сергей.

У ворот молчаливый громила вернул ему

разряженный пистолет и отдельно высыпал на ладонь горсть патронов.

* * *

Горячие лохматые тени ползли по потолку, жарко было глазам, словно в каждом запалили по свечке. Потрескивали сырые дрова в печи, дым застревал в горле, не давал дышать. У липового отвара, которым поила бабушка маленького Володю, был едкий горький привкус. Склоненное лицо бабушки казалось сгустком все того же дыма. Володя слышал звон рукомойника, видел, как плывет прямо на него бело-розовое зыбкое чудище с огромными стеклянными глазами, тянет к нему руки, трогает шею твердыми пальцами, повторяет вязкое, трудное слово: пневмония, и растворяется в дыму.

В глухой дымной мути остался один тонкий, слабый звук. Он тянулся словно живая, светящаяся ниточка, и Володя стал потихоньку продираться сквозь мрак.

Позже в деревне судачили, что семилетнего сироту Володю Герасимова спасла от неминуемой смерти глухонемая знахарка, сожительница кладбищенского сторожа. Володя встречал иногда эту пухлую румяную женщину в черном тугом платке, но не помнил, как она приходила в избу во время его болезни. Он знал совершенно точно, она ни при чем. Спас его тонкий одинокий звук, который был всего лишь плачем его бабушки. Если бы он не слышал, как плачет бабушка, он бы заблудился во мраке и умер. Однако никому никогда он не рассказывал об этом и делал вид, будто верит, как и вся деревня, что спасла его глухонемая знахарка.

Напичканный обезболивающими препаратами, Владимир Марленович возвращался к лохматым теням, к дыму, к треску сырых поленьев, словно не было пятидесяти с лишнем лет, вмещавших юность, зрелость, всю его огромную и мгновенную жизнь. Иногда до него доносился тихий плач его жены, но отставной генерал был слишком тяжел и не мог, как семилетний мальчик, уцепиться за ниточку, проскользнуть сквозь мрак.

Баюкая огромную неугомонную чешуйчатую тварь внутри себя, проваливаясь в забытье, генерал понял, что скорее всего умрет этой ночью, и попросил жену быть рядом. Она сидела в кресле, поджав ноги, то дремала, то тихо плакала, и каждые полчаса проверяла, дышит ли он.

Генерал дышал. Этой ночью он не умер. Утром попросил пить. К полудню открыл глаза, сел на кровати, увидел, что небо черное, услышал долгий раскат грома, позвал Наташу, чтобы она открыла окно. Шум ливня ошеломил его. Ему даже удалось встать, сделать несколько шагов, ухватиться за подоконник и почувствовать, как летят в лицо ливневые брызги.

Далеко, в глубине квартиры, заливался звонок. До него донеслись голоса. Он медленно побрел в прихожую. Там майор Сергей Найденов снимал мокрую куртку. Наташа доставала для него тапочки. Стас стоял, прислонившись к косяку, и подкидывал на ладони зажигалку.

— Папа, ты что? Иди ложись! — сказал он, увидев генерала.

— Мне лучше, — слабо улыбнулся Владимир Марленович, — здравствуй, Сережа.

Все четверо прошли в гостиную. Генерал сел в кресло. Наталья Марковна накрыла его пледом.

— Наверное, нам со Стасом надо поговорить наедине, — сказал майор.

— Я готов, — Стас поднялся и нервно оскалился, — пойдем, дорогой братец.

— Нет, — покачал головой генерал, — вы останетесь здесь.

Что-то прозвучало в его голосе новое, вернее, прежнее, твердое, спокойное, и у Натальи Марковны на секунду счастливо вспыхнули глаза.

— Но, папа, он же сказал, мы должны наедине, — возразил Стас.

— Сядь, сынок, — Наталья Марковна подошла к нему, взяла за плечи и почти насильно усадила в кресло.

Сергей молча положил на стол маленький диктофон и включил его.

«...Не помнишь, значит, ничего, гумозник? Ну ладно, слушай. Той ночью я полез на стройку за кабелем...»

346

Дрожащий скрипучий голос старого уголовника Леща заполнил генеральскую гостиную. Громкость была небольшой, но казалось, от напряжения вибрируют стены.

Гроза кончилась. Солнце хлынуло в открытые окна.

«...Ты шагнул к краю, глянул вниз. Минуту всего смотрел, а потом драпанул к станции. И все. И нет тебя...».

Когда отзвучала запись, несколько минут было тихо.

— Стас, ты должен написать признание и отнести его в прокуратуру. У тебя есть двое суток, — медленно проговорил Сергей, — никакого наказания тебе нести не придется. Срок давности истек. Да и статья небольшая. Причинение смерти по неосторожности. Максимум три года условно. Это просто Юре Михееву так сильно не повезло.

— Ничего я писать не буду, — помотал головой Стас.

— У тебя двое суток, — повторил Сергей.

— Бред какой-то, — Стас рассмеялся, — папа, мама, вы что, не понимаете? Это провокация! Вы же знаете, я болел, лежал с температурой и той ночью никуда не выходил из дома! Был свидетель, няня Мария Петровна. Я ничего писать не стану!

— Не кричи, — поморщился генерал и повернулся к жене. — Наташа, ты помнишь, мы с тобой уехали тогда на недельку в наш ведомственный дом отдыха «Березки». Здесь оставалась Мария Петровна. Ей было уже восемьдесят, и перед сном она принимала сильное снотворное. Мы с тобой вернулись именно в то утро, довольно рано, часов в девять. Еще ничего не было известно о Маше Демидовой.

— Да, — кивнула Наталья Марковна, — да, Володенька, я отлично запомнила то утро. Стас встретил нас бледный, совершенно больной, и сказал, что ночью у него было под сорок и он не мог подняться с постели. В прихожей стояли его кроссовки, грязные и мокрые насквозь. К ним прилипла трава и застывшие комья известки. Я долго чистила их, мыла, набивала газетой, они были совсем новые, страшно дорогие, и не хотелось выбрасывать. Однако пришлось. Они затвердели, потеряли форму. Строительная грязь въелась намертво. — Наталья Марковна тяжело поднялась, вышла и вернулась через минуту.

В руках у нее было несколько листов бумаги и ручка.

— Мама, но я не знаю, что писать! — закричал Стас. — Я не ничего не помню, все как в тумане! Зачем вы мучаете меня? Михеев умер, и это уже никому не нужно.

— Михеев умер, — кивнул Сергей, — но есть крупный криминальный авторитет Палыч. Пиши, Стас. Не бойся. Ничего тебе за это не будет.

Стас взял ручку и медленно, коряво, как первоклассник, начал выводить слова на бумаге. Белый лист заполнялся строчками. Наталья Марковна смотрела сначала на сына, потом перевела взгляд на чужого человека, который молча сидел в кресле.

У него было лицо взрослого Сережи, и звали его так же. Ему предстояло жить дальше с этим лицом и с этим именем какой-то своей, отдельной, далекой и непонятной жизнью. Наталья Марковна не могла оторвать от него глаз.

Радужная тень маленького херувима легко и незаметно вырвалась на волю из ее души и затерялась навеки в чистом полуденном небе.

———

ОГЛАВЛЕНИЕ

Литературно-художественное издание

Полина Викторовна Дашкова

ХЕРУВИМ

Роман
Том II

Издано в авторской редакции

Художник *И. Сальникова*
Технический редактор *Т. Тимошина*
Корректоры *И. Мокина* и *Т. Нарышкина*
Компьютерная верстка *К. Парсаданяна*

Подписано в печать с готовых диапозитивов 14.05.2001.
Формат 84×108^1/$_{32}$. Усл. печ. л. 8,13. Гарнитура Журнальная.
Печать высокая с ФПФ. Бумага типографская.
Доп. тираж 20 000 экз. Заказ 963.

Налоговая льгота — общероссийский классификатор продукции
ОК-005-93, том 2; 953000 — книги, брошюры

Гигиеническое заключение
№ 77.99.14.953.П.12850.7.00 от 14.07.2000 г.

ООО «Издательство Астрель»
Изд. лиц. ЛР № 066647 от 07.06.99 г.
143900, Московская обл., г. Балашиха, пр-т Ленина, 81

ООО «Издательство АСТ»
Изд. лиц. ИД № 02694 от 30.08.2000 г.
674460, Читинская обл., Агинский р-н,
п. Агинское, ул. Базара Ринчино, 84.
Наши электронные адреса:
www.ast.ru
E-mail: astpub@aha.ru

При участии ООО «Харвест». Лицензия ЛВ № 32 от 10.01.2001.
220040, Минск, ул. М. Богдановича, 155-1204.

Налоговая льгота — Общегосударственный классификатор
Республики Беларусь ОКРБ 007-98, ч. 1; 22.11.20.300.

Республиканское унитарное предприятие
«Полиграфический комбинат имени Я. Коласа».
220600, Минск, ул. Красная, 23.

По вопросам оптовой покупки книг
«Издательской группы АСТ» обращаться по адресу:
г. Москва, Звездный бульвар, д. 21, 7-й этаж
Тел. 215-43-38, 215-01-01, 215-55-13

Книги «Издательской группы АСТ»
можно заказать по адресу:
107140, Москва, а/я 140, АСТ — «Книги по почте»

Издательская группа АСT

Издательская группа АСT, включающая в себя около **50 издательств** и редакционно-издательских объединений, предлагает вашему вниманию **более 10 000 названий книг** самых разных видов и жанров. Мы выпускаем классические произведения и книги современных авторов. В наших каталогах — интеллектуальная проза, детективы, фантастика, любовные романы, книги для детей и подростков, учебники, справочники, энциклопедии, альбомы по искусству, научно-познавательные и прикладные издания, а также широкий выбор канцтоваров.

В числе наших авторов мировые знаменитости Сидни Шелдон, Стивен Кинг, Даниэла Стил, Джудит Макнот, Бертрис Смолл, Джоанна Линдсей, Сандра Браун, создатели российских бестселлеров Борис Акунин, братья Вайнеры, Андрей Воронин, Полина Дашкова, Сергей Лукьяненко, Фридрих Незнанский, братья Стругацкие, Виктор Суворов, Виктория Токарева, Эдуард Тополь, Владимир Шитов, Марина Юденич, а также любимые детские писатели Самуил Маршак, Сергей Михалков, Григорий Остер, Владимир Сутеев, Корней Чуковский.

Книги издательской группы АСT вы сможете заказать и получить по почте в любом уголке России. Пишите:

107140, Москва, а/я 140

ВЫСЫЛАЕТСЯ БЕСПЛАТНЫЙ КАТАЛОГ

Вы также сможете приобрести книги группы АСT по низким издательским ценам в наших **фирменных магазинах:**

В Москве:

- Звездный бульвар, д. 21, 1 этаж, тел. 232-19-05
- ул. Татарская, д. 14, тел. 959-20-95
- ул. Каретный ряд, д. 5/10, тел. 209-66-01, 299-65-84
- ул. Арбат, д. 12, тел. 291-61-01
- ул. Луганская, д. 7, тел. 322-28-22
- ул. 2-я Владимирская, д. 52/2, тел. 306-18-97, 306-18-98
- Большой Факельный пер., д. 3, тел. 911-21-07
- Волгоградский проспект, д. 132, тел. 172-18-97
- Самаркандский бульвар, д. 17, тел. 372-40-01

мелкооптовые магазины

- 3-й Автозаводский пр-д, д. 4, тел. 275-37-42
- проспект Андропова, д. 13/32, тел. 117-62-00
- ул. Плеханова, д. 22, тел. 368-10-10
- Кутузовский проспект, д. 31, тел. 240-44-54, 249-86-60

В Санкт-Петербурге:

- проспект Просвещения, д. 76, тел. (812) 591-16-81
  (магазин «Книжный дом»)

Издательская группа АСT
129085, Москва, Звездный бульвар, д. 21, 7 этаж.
Справки по телефону (095) 215-01-01, факс 215-51-10
E-mail: astpub@aha.ru   http://www.ast.ru